海外漢文古醫籍精選叢書・第三輯

2011—2020年國家古籍整理出版規劃項目
2018年度國家古籍整理出版專項經費資助項目
中國中醫科學院「十三五」第一批重點領域科研項目
——我國與「一帶一路」九國醫藥交流史研究（ZZ10-011-1）

蕭永芝◎主編

傷寒論特解 貳

〔日〕齋宮靜齋 注
〔日〕淺野元甫 補續

7

北京科學技術出版社

海外漢文古醫籍精選叢書・第三輯

傷寒論特解　貳

〔日〕齋宫静齋　注
〔日〕淺野元甫　補續

傷寒論特解
四

門 ヤ武 9
番 307
卷 4

傷寒論特解卷之四下

大日本　安藝　靜齋齋先生著
門人　尾張　淺野徽元甫　補註
弟子　富田肥大順　校正

大陽病篇第四下

問曰、病有結胸、有藏結、其狀何如、答曰、按之痛、寸脈浮、關脈沈、名曰結胸也、何謂藏結、答曰、如結胸狀、飲食如故、時時下利、寸脈浮、關脈小細沈緊、名曰藏結、舌上白胎滑者難治、補 結胸證、因大陽病誤下而來、本編論之審矣、而此章不擧冒首、不論證因突然云按之寸脈浮關脈沈者不足取、假令欲據此章而施治法、何以知陰陽表裏而得下手乎、其義不備如此、且臟結以臟論證、以三部論脈、皆非本編之例也、

臟結無陽證、不往來寒熱、其人反靜、舌上胎滑者、不可攻也、補此章所擧、既是陰證、則其人靜是常已、而云反者、爲不通、且何攻之有、

病發於陽、而反下之、熱入因作結胸、病發於陰而反下之、因作痞也、所以成結胸者、以下之太早故也、補本編、以三陽三陰分病道之陰陽、故病發於陰而下之、則豈但作痞乎、其人

將弊也、此以風寒榮衛分陰陽、故議論不合如此、

結胸者、項亦強、如柔痓狀、下之則和、宜大陷胸丸、【補】論證不具、不足取、

大陷胸丸方

大黄半斤　葶藶半升　芒硝半升　杏仁半升

右四味、擣篩二味、内杏仁芒硝、合研如脂、和散、取如彈丸一枚、別擣甘遂末一錢匕、白蜜二合、水二升、煮取一升、温頓服之、一宿乃下、如不下、更服、取下為效、禁如藥法、

結胸證其脈浮大者不可下下之則死

結胸證悉具煩躁者亦死　補右二章論證不具不足取

大陽病脈浮而動數是舉大陽病爲結胸之病因以明其地位也結胸證之地位與大柴胡湯證同其地位也云脈浮而動數頭痛發熱微盜汗出而反惡寒者表未解也者是舉有表證又以熱之故表水騷擾又內有胃實者也脈浮而動數者一以浮爲有表證而以動數爲表水騷擾也一以浮而動數爲表水騷擾也浮則爲風數則爲熱動則爲痛數則爲虛此十六字與下文不關涉爲誤文當刪去也頭痛發熱是一以爲表證一以爲內有胃實之所爲也凡此脈證皆涉二途者也微盜汗出是內有胃實之證也而反惡寒者頭痛發熱盜汗出者是內實之證而脈浮而動數者爲表水騷

擾、此二者、雖有表裏而皆非大陽表證、則固當無
惡寒者也、乃今既有此證而又加惡寒者、大陽表
證也、故云而云表未解也、言脈既浮而又有惡寒、
反、以明此義也、即今通脈浮與此惡寒
觀之、則是表證未解也、而其頭痛發熱、亦是爲表
證之頭痛發熱、則微盜汗出者、內亦別有胃實之
證也、其脈動數者、又別有表水騷擾之證也、而微
盜汗出者、大抵爲胃中下部有實瘀也、今脈浮而
動數、頭痛發熱、微盜汗出而惡寒者、是表證未解
也、當須與麻黃湯以解其表證、然後觀其後證以
治其盜汗也、服麻黃湯脈浮動數皆罷頭痛發熱
惡寒又已去、仍微盜汗出、而但頭汗出、餘處無汗、
劑頸而還、小便不利者、是爲瘀實在下部、茵蔯蒿
湯之所主也、是爲表證裏證各別爲病者也、若服
麻黃湯、脈浮動數惡寒皆罷、仍頭痛發熱微盜汗
出、而更見柴胡一證者、仍是前之大陽證而非更
別有內證者也、此大柴胡湯之醫反下之表證未
所主也、而爲結胸證之地位也、解者、下

之爲逆、其熱必內攻者也、**動數變遲**、表水騷擾者、本因其表熱所致也、今其熱內入、故表水騷擾又罷、於此前微盜汗出者、今乃見其本脈遲也、而脈遲者、此胃中有實之候也、**膈內拒痛**、表熱內入、以上攻膈內也、是明結胸病因之一途也、又有大小柴胡湯之疑途也、**胃中空虛客氣動膈**、是下之之後法語也、凡法語者、明其病因者也、**短氣躁煩心中懊憹**、是即法語之見證也、言醫既下之、則胃中空虛、客氣動膈、其見證必致短氣躁煩、心中懊憹也、是亦明結胸病因之一途也、又有梔子豉湯之疑途也、**陽氣**謂表陽之氣也、**內陷**、謂以下之之故、其內空虛、表陽之氣內陷其空虛之地、凡表水者、隨陽氣而循行者也、而陽氣內陷、必聚於心下者也、**心下因鞕、則爲結胸、大陷胸湯主之**、是以承上之動數變遲、膈內拒痛也、一以承次之胃中空虛、客氣動膈、短氣躁煩、心中懊憹也、其義猶云大陽病脈浮而動數、頭痛發熱、微盜汗出而反惡寒者、表未解也、而醫反下之、脈浮乃罷、動數變遲、膈內拒痛、仍頭痛發熱、微盜汗出、往來寒熱而嘔者、是表熱攻其裏也、動數變遲、頭痛發熱、微盜汗出者、是內有實也、膈內拒痛而喜嘔者、其熱上攻心下胸脇也、大柴胡湯之所主也、若醫下之之後、脈浮乃罷、頭痛發熱、惡寒皆罷、動數變遲、膈內拒痛、微盜汗出者、此內有實也、膈內拒痛者、其熱入裏上攻也、既已其內有實熱亦入裏上攻、又以下之之故、其內空虛、以然之故、其所外張之陽氣、內陷於空虛之地、以聚於心下、表水又隨陽氣入、是內已有實、其熱又上攻、陽氣又陷而聚於心下、故表水隨陽氣而聚於心下者、會其內實與上攻之熱、心下以此為因而鞕、則為結胸、其證必但頭汗出、一身漐漐如有汗、或微盜汗出者、大陷胸湯主之、又猶云大陽病、脈浮而動數、頭痛發熱、微盜汗出、而反惡寒者、表未解也、而醫反下之、脈浮乃罷、頭痛發熱惡寒、及微盜汗又亦皆罷以下之之故胃中空虛客氣動膈其見證以致短氣躁煩心中懊憹是梔子豉湯之所主也若醫反下之脈浮乃罷惡寒又罷仍頭痛發熱微盜汗出以下之之故胃中空虛客氣動膈其見證以致短氣躁煩心中懊憹又以其內空虛之故其所外張之陽氣內陷於空虛之地以聚於心下於是表水亦隨陽氣而聚於心下乃與客氣動膈者相會而心下以此爲因而爲鞕則爲結胸其證必頭汗出一身熱熱如有汗或微盜汗出者大陷胸湯主之也**若不結胸**此承上之醫反下之而言之也脈動數者或變遲或變沈也而無有沈緊之脈也**但頭汗出餘處無汗劑頸而還**是擧茵蔯蒿湯之證以明大陷胸湯之別也大陷胸湯之證但頭汗出餘處無汗亦熱熱然如有汗然其汗未足云有汗者也茵蔯蒿湯之證則頭汗出餘處無汗劑頸而還是茵蔯蒿湯之異於大陷胸湯之證者也**小便不利**是亦明大陷胸湯茵蔯蒿湯證之別

也、茵蔯蒿湯之證、其證在下部、而及其上者也、而小便不利、是其常也、大陷胸湯之證、其證在心下、而及其下部者也、故時亦有小便不利之證、然非其常證也、**身必發黃也**必者、十中期八九之辭也、是明茵蔯蒿湯之證、本由瘀熱在裏、與大陷胸湯表熱入裏而結胸者、其病因大別也、猶云大陽病、脈浮而動數、頭痛發熱、微盜汗出、而反惡寒者、醫下之、脈浮乃罷、惡寒又罷、仍頭痛發熱、微盜汗出、而不結胸、但頭汗出、餘處無汗、劑頸、而還、小便不利、身必發黃、是其始證、外有表證、內有瘀熱、內外爲兩證、但以內有此瘀熱之故、其表證與瘀熱相搏、欲解而不能解也、而今以下之、之故、表證得解、而瘀熱發其本證、故此證、雖下之而非逆也、茵蔯蒿湯主之也、此證總而論之、則言大陽病、脈浮而動數、頭痛發熱、微盜汗出、而反惡寒者、此外有表證、內亦別有胃實也、當先解其表、故先與麻黃湯、以解其表證、然後觀其後證、以治其盜汗也、若服麻黃湯、脈浮動數惡寒皆罷、仍頭痛發熱微頭汗出而往來寒熱或嘔者仍是前之大陽證非更別有內證者大柴胡湯主之也而是與大陷胸湯結胸之證爲同一地位也若此大陽病脈浮而動數頭痛發熱微盜汗出而反惡寒其表未解而醫反下之此爲逆治也於是其熱入裏脈浮乃罷動數變遲膈內拒痛仍頭痛發熱微盜汗出往來寒熱而嘔者先與小柴胡湯後大柴胡湯主之也若醫下之之後表熱入裏脈浮乃罷頭痛發熱惡寒皆罷動數變遲膈內拒痛陽氣內陷心下因鞕則爲結胸其證必但頭汗出一身漐漐如有汗或微盜汗出者大陷胸湯主之也若醫下之之後脈浮乃罷頭痛發熱惡寒及微盜汗又亦皆罷以下之之故胃中空虛客氣動膈其見證以致短氣躁煩心中懊憹此爲陽虛梔子豉湯主之也若醫下之之後脈浮乃罷惡寒又罷仍頭痛發熱微盜汗出以下之之故胃中空虛客氣動膈其見證以致短氣躁煩心中懊憹陽氣內陷心下因鞕則爲結胸其證必但頭汗出一身漐漐如有汗

或微盜汗出、或小便不利者、大陷胸湯主之也、

大陷胸湯方

大黃六兩　芒硝一升　甘遂一錢

右三味、以水六升、先煮大黃、取二升、去滓、內芒硝、煮一兩沸、內甘遂末、溫服一升、得快利、止後服、

傷寒六七日　是舉傷寒一旦忽見結胸證者、以反前章以漸見結胸證者也、前章明結胸證之正因、而此章以明急猝成結胸證也、其意以明雖以熱實成此結胸、而猶是水結在心胸之下也、云傷寒六七日者、以明表證仍方熾盛、而其病仍在大小柴胡之地位也、結胸熱實、脈沈而緊、脈沈而緊者、言按其脈而大、總之則是沈也、而切審而按之則乃緊也、結胸之

故其脈即沈也、熱實之故、其脈乃緊也、故云脈沈而緊者、以明其似陰證者也、云結胸熱實者、以明仍是陽病實證也、**心下痛、按之石鞕者、**以明陽病熱實之證、而非陰證者也、若其陰證、則非但其脈沈微而已、其心下及腹候、皆濡而無力者也、又非痛且石鞕者也、凡結胸之脈非獨沈緊、而必沈微沈結者也、而此章必與血證相混難辨者也、云傷寒六七日、結胸熱實、脈沈而緊、心下痛按之石鞕者、言傷寒六七日、表證仍方熾盛者、是在大小柴胡之地位、而一旦表證皆入裏、其脈沈而緊、醫皆以爲陰證、而大遽惶之、以爲不可救者、然此脈沈而緊者、非復陰證、是結胸熱實、而陽病實證者也、何以知是結胸實證、以心下痛、按之石鞕者、乃知結胸熱實之所致也、故曰傷寒六七日、結胸熱實、脈沈而緊也、其所以知結胸熱實者、以其證心下痛按之石鞕者也、**大陷胸湯主之、**主者、主一無適之言也、脈沈而緊、是疑惑於陰證者也、而心下痛、按之石鞕者是陽病實證而無疑於結胸者故云大陷胸湯主之也若脈沈而微細按其心下及腹候皆濡而無力又且無劇痛者是必有陰證者也當審其證以處其方也凡此結胸證其疑途有三焉其一則血證也其二則瘀熱在裏也其三則陰證也是言傷寒六七日表熱方熾盛者表證仍在而其脈一且忽微而沈心下痛少腹鞕滿小便不利者是爲結胸大陷胸湯主之也若傷寒六七日表熱方熾盛者表證仍在而其脈一且忽微而沈其人發狂少腹鞕滿小便自利者此血證也抵當湯主之也若傷寒表熱方熾盛者表證仍在而其脈一且忽沈結其證心下痛少腹鞕小便不利但頭汗出一身頗覺微汗者此爲結胸亦大陷胸湯主之也若傷寒表熱方熾盛者表證仍在而其脈一且忽沈結少腹鞕小便不利但頭汗出餘處無汗者此爲瘀熱在裏身必發黃茵蔯蒿湯主之也若傷寒六七日表熱方熾盛者其表證如解而不解其證皆入裏其脈一且忽沈而微按心下及其腹部

皆濡而無力、又且無劇痛者、此爲有陰證、當審其證、然後以處其方、不可輕攻之也、若傷寒六七日、表熱方熾盛者、其表證一且忽如解、而不解、其證皆入裏、其脈一且忽沈而緊、醫皆以爲陰證可畏者、然是大不然也、是陽病實證、而結胸者也、何以知之、其脈沈者、以實結心胸之下也、其脈緊者、以其熱實於其裏也、故其脈沈而緊、其證又心下痛、按之石鞕者、是結胸證也、大陷胸湯主之也、

傷寒十餘日、是擧傷寒十餘日、表證荏苒已罷、其病仍未解而有身熱、猶未了了、似是裏有熱結者、不可的然名狀者、以明大柴胡大陷胸二湯之疑似也、云傷寒十餘日者、以明表證荏苒已罷、其病仍未解、而有身熱、猶未了者、雖不見裏有熱結、而疑是熱結在裏之故、其證如此也、故下云熱結在裏也、

熱結在裏、是大柴胡湯往來寒熱之法語也、凡用法語者、以其證不可見者、姑以爲可見者、而定其證者也、是傷寒十餘日始無表證、其病仍未解、而有身熱、猶未了了

者、雖不見熱結在裏、疑是熱結在裏之所致也。**復往來寒熱者**、云復者、以明始表證已罷、今亦往來寒熱者、的然知是熱結果、在裏者也、既往來寒熱、而熱結在裏、是大柴胡湯之證也、**與大柴胡湯**、凡云與者、姑與此湯以觀其後證如何也、而今與大柴胡湯者、是傷寒十餘日、始無表證、其病仍未解而有身熱、猶未了了者、是本有大柴胡大陷胸二湯之疑途者也、今但以有往來寒熱之一證、定以爲熱結在裏、而與大柴胡湯也、然但有往來寒熱之一證、未可的定以爲大柴胡湯之確證也、且大陷胸湯結胸之證、亦與胃中相關涉、則未可謂必無往來寒熱之證、故今姑與大柴胡湯、以觀其後證如何也、若與大柴胡湯之後、仍往來寒熱、又更見胸脇滿證、則是的然大柴胡湯之證也、若與大柴胡湯之後、仍往來寒熱、而心下鞕、頭微汗出者、雖云往來寒熱、猶是大陷胸湯之證也、故不云大柴胡湯主之、而云與大柴胡湯、以明此義也、是明大柴胡湯之證、而有大陷胸湯證之疑途者也、**但結胸無大熱者、**云但者謂無往來寒熱者也、結胸謂心下鞕滿按之痛者也、無大熱者謂表無翕翕之發熱也、但有身熱者也、**此爲水結在胸脇也、**是爲水實結胸舉其法語也、水實結胸、雖非結胸本證、而亦爲結胸之一證也、故云

此爲水結在胸脇者、言但結胸無大熱者、今審其病證、既是不似裏有熱結者、然今爲結胸、則是非熱實結胸、是雖不見水結胸脇、而於法爲水結胸脇、是水實結胸也、云在者、以明表證雖欲去、而以此水結胸脇之故、不能去也、但去水結胸脇者、則表證隨之自去也、又連胸脇言之者、以明亦有大柴胡湯之證也、但結胸無大熱者、此爲水結在胸脇者、言傷寒十餘日、表證荏苒已罷、其病仍未解有身熱、猶未了了、但結胸無大熱者、既審其病證、不似裏有熱結者、然今爲結胸、則是雖不見水結胸脇、而於法爲水結胸脇也、是雖非結胸本證、而亦是爲結胸之一證、先與大陷胸湯、以去此水結

在胸脇者、則餘證隨之自去也、然是但見結胸一證而已、更無有餘證之可驗、故先少與大陷胸湯、以觀其後證如何也、若與大陷胸湯之後、胸脇苦滿、寒熱往來者、是非水實結胸、卽熱結在裏者也、大柴胡湯主之也、是明大陷胸湯之證、而有大柴胡湯之疑證者也、是非大陷胸湯之本證、卽大陷胸湯權用之證也、

但頭微汗出者、大陷胸湯主之

是擧大陷胸湯之的證也、云但者、謂既無往來寒熱、又無水結胸脇之證者也、言傷寒十餘日、表證荏苒已罷、其病仍未解、有身熱、猶未了了、但結胸無大熱、而頭微汗出者、是結胸之證悉具、是大陷胸湯正用之的證也、總而論之、是言傷寒十餘日、表證荏苒已罷、其病仍未解、有身熱、猶未了了者、疑是熱結在裏、既果復往來寒熱者、是雖未見柴胡之全證、而今見往來寒熱之一證、故權與大柴胡湯、以觀其後證何如也、若服大柴胡湯後、往來寒熱仍尚未罷、尋而心下痛、按之鞕滿者、此爲結胸證、雖有往來

寒熱、是大陷胸湯主之也、傷寒十餘日、表證荏苒已罷、其病仍未解而不了了、但結胸無大熱者、又不往來寒熱者、是雖不見水結胸脇、而是於法爲水結在胸脇、卽水實結胸也、大陷胸湯主之、若但心下鞕而不痛、無大熱、胸脇苦滿、而又往來寒熱者、是非復結胸、是爲柴胡證已具、於法當先與大柴胡湯也、服湯罷、心下劇痛者、此爲結胸、大陷胸湯主之也、傷寒十餘日、表證荏苒已罷、其病仍未解、有身熱、猶未了了、但結胸頭微汗出者、此爲結胸證具、大陷胸湯主之也、

【補】右正文三章、始一章、擧表證仍在、誤下而爲結胸者、與爲身黃者、以明辨結胸諸之本因也、第二章、擧不經誤下、而直爲結胸者、以明辨結胸之地位也、終一章、擧熱結在裏者、與水結在胸脇者、又擧頭微汗出者、以委曲明辨結胸之證也、

▲大陽病、重發汗而復下之、是擧大陽病發病之時、既伏大陷胸湯之證而

未發見者以辨明大柴胡大承氣二湯之疑惑也
是與上傷寒六七日及十餘日章表熱入裏以成
結胸者不同此章所舉者舉其發病之時表證與
內之結胸證併起者也大抵與大陷胸湯首章大
陽病脈浮而動數者同其初起也而其所異者彼
首章所舉者其初起之時既見胃中有病證而此
章所舉者其證皆伏而不發見者也是其異也醫
見大陽病但有其表證以爲是單表證故一發其
汗以解其表既一發其汗而表證仍未解此非表
證不解但以內伏胃中之證之故其表證欲解而
不能解也而其胃中之證猶未發見故醫又以爲
單表之證但發其汗之未徹故使此表證不解也
故重發其汗也既重發其汗而表證仍未解其胃
中之伏證猶未發見於是醫又以爲此表證不解
者是又非復表證不解此必內有柴胡熱結之類
證也故表證欲解而不能解也故又復與之以柴
胡類以下其熱也既單下其熱而不能及熱與水
之結故雖下之猶未能治其證此乃傍治也又本

伏胃中虛弱之證，而今復下之，是助其虛弱，不大以添其虛弱也，故遂致此不大便之證也，故客氣

便五六日，本伏胃中虛弱之證，而復下之，故致不大便愈旺，胃氣不能運攝其內，故致不大便也，以不大便五六日承復下之下者，以明此不大便，以胃中虛弱之故，致此證也，**舌上燥**

而渴，以別嘔而渴者，大柴胡湯之證也，舌上燥而渴者，水熱集結於心下之候也，是在大陷胸湯為主證，故先舉之也，凡大柴胡之證，嘔而渴者是主胃，而波及於心下者也，大陷胸湯之證，舌上燥而渴者，是以心下為主證，而波及於胃中者也，凡實熱之證，必舌上黃白胎而渴者也，水熱集結於心下之證，舌上乾燥而渴者也，凡胃實大承氣證，舌上黃白胎而不渴，口燥咽乾也，是其別也，

日晡所小有潮熱，是以辭之序言之，則當在上之不大便五六日之下，今不然者，以其為波及之證也，云小有潮熱者，以大陷胸湯之證，胃中亦小不平有事也，然非復主證也，若在

大柴胡承氣湯則此證爲主證也、從心下至少腹鞕滿而痛不可近者、是明本有胃中虛弱之伏證、而復下之、以激其虛弱陽氣不張、客邪相持、遂致此從心下至少腹鞕滿而痛不可近者也、大陷胸湯主之、凡云主之者、皆的然無所疑者也、此證以復下之致此不大便之證也、既雖致此不大便五六日之證、而其日晡之潮熱、小小有之、是非大承氣大柴胡湯之證者的然也、又舌上乾燥而渴、及從心下至少腹鞕滿而痛、不可近者、是大陷胸湯之主證的然、故云主之也、言大陽病發病之時、醫但見其表證、而不知其有伏證、故一發其汗、以解其表證、而表證仍不解、醫猶不知其有伏證、以爲是發汗之不徹、故使表不解、故重發其汗、而表證仍不解、醫雖不見其有伏證、以其不解之故、以爲是其熱入裏、故表證雖欲解而不能解也、今一下之、則其表證必自解、故復下之也、醫既下之、而其病不解、反致此不大便也、是以何之故、本有胃中虛弱之伏證而今復下之以更助其虛弱故胃氣不能運攝於其內故致此不大便也既已不大便五六日則日晡所當大有潮熱而今不然舌上乾燥而渴此爲主證而日晡所之潮熱小小有之此其主證在心下而及胃中者也又從心下至少腹鞕滿而痛不可近者本有胃中虛弱之伏證而今復下之以激其虛弱陽氣不張客邪相持以致此鞕滿而痛不可近者是結胸的證也大陷胸湯主之也若重發汗而復下之不大便五六日嘔而渴舌上胎日晡所劇有潮熱腹中痛者是大柴胡湯之證也若重發汗而復下之不大便五六日日晡所劇有潮熱口燥咽乾舌上胎不嘔不渴但腹滿者是大承氣湯之證也

凡大柴胡湯大承氣湯大陷胸湯三者其地位皆同而其病因則各自不同也若其證則皆疑似者也若其地位雖則皆同而亦各有其異也以何別之曰大柴胡湯之地位在胃中而上及心下胸脇

者也、大承氣湯之地位、正在胃中者也、大陷胸湯之地位、亦在胃中、而上及心下、下及少腹者也、是三湯地位之別也、若其病因、則各不同、以何別之、曰、大柴胡湯之病因、以熱實爲主、而其胃中見實物、則其傍證也、是爲胃中實證病也、大承氣湯之病因、以胃中有實物爲主、而其有熱實則其傍證也、亦爲胃中實強、而實證病也、大陷胸湯之病因、本是胃中虛弱、而有其邪、客氣主於內、而熱與水結、而在胃中也、是陽病實病、而胃中有虛邪者也、故大陷胸湯之證、雖復一時熱實結胸、而必熱與水併者也、若其胃中有實物、則其傍證也、此三湯病因之別也、然大陷胸湯之胃中有虛邪、特是陽證實病中之虛邪、而與陰證虛寒之病大不同也、故雖云有虛邪、猶是實證病也、

小結胸病、正在心下、按之則痛、脈浮滑者、小陷胸湯主之、【補】凡小者、對大之名也、不對大而云小者未聞之、今有大陷胸湯、而無大

結胸、故小陷胸湯、可言、而小結胸不可言也、且病有大小、而證無大小、何則病之大小、素有定分、證之劇易、不可定、故言輕重、而不言大小也、而結胸者、傷寒病中之一證、而非建爲一病者、可見名且不正、其餘不足取、

小陷胸湯方

黃連一兩　半夏半升　栝蔞實大者一箇

右三味、以水六升、先煮栝蔞、取三升、去滓、內諸藥、煮取二升、去滓、分溫三服、

太陽病二三日、不能臥、但欲起、心下必結、脈微弱者、此本有寒分也、反下之、若利止、必作結胸、

未止者四日復下之此作協熱利也【補】脈微弱者陰證也故云本有寒也反下之是陰證而下之故云反也既云反下之又云作結胸者上下矛楯也何則結胸者熱實證也未有陰證下之而變作熱實證者也

大陽病下之其脈促不結胸者此爲欲解也脈浮者必結胸也脈緊者必咽痛脈弦者必兩脇拘急脈細數者頭痛未止脈沈緊者必欲嘔脈沈滑者協熱利脈浮滑者必下血【補】凡醫療之後診脈以斷陰陽表裏而處治法者醫之大經大法也何則證多變候脈有定法惡寒發熱身體疼痛而脈浮者大陽病也證雖同而脈沈則少陰病也故先舉證而合之於脈而後斷治法

者古之道也而今此章以脈斷證者倒行逆施潰亂醫法爲甚也學者察焉

病在陽應以汗解之反以冷水潠之若灌之其熱被劫不得去彌更益煩肉上粟起意欲飲水反不渴者服文蛤散若不差者與五苓散寒實結胸無熱證者與三物小陷胸湯白散亦可服

補此章以冷水潠灌病人水寒閉皮膚表邪鬱爲熱則當治以溫散也今以利水爲主劑者爲證治不對也且以水潠灌何等狂妄不可解也又寒實結胸不接上文但似謂所潠灌之水寒停心胸也然本編有水結在胸脇而未聞有寒實結胸也且小陷胸湯有黃連白散有巴豆寒熱混淆杜撰甚矣

文蛤散方

文蛤 五兩

右一味爲散以沸湯和一方寸七服湯用五合

白散方

桔梗 三分　巴豆 一分

貝母 三分

右三味爲散内巴豆更於臼中杵之以白飲和
服強人半錢七羸者減之病在膈上必吐在膈
下必利不利進熱粥一杯利過不止進冷粥一

杯身熱皮粟不解欲引衣自覆者若以水潠之洗之益令熱劫不得出當汗而不汗則煩假令汗出已腹中痛與芍藥三兩如上法

太陽與少陽併病頭項強痛或眩冒時如結胸心下痞鞕者當刺大椎第一間肺兪肝兪愼不可發汗發汗則譫語脈弦五六日譫語不止當刺期門 補 是章鍼家之說非本編之義也

婦人中風發熱惡寒經水適來得之七八日熱除而脈遲身涼胸脇下滿如結胸狀譫語者此

爲熱入血室也當刺期門隨其實而取之

婦人中風七八日續得寒熱發作有時經水適斷者此爲熱入血室其血必結故使如瘧狀發作有時小柴胡湯主之

婦人傷寒發熱經水適來晝日明了暮則讝語如見鬼狀者此爲熱入血室無犯胃氣及上二焦必自愈

補　熱入血室證後賢有用小柴胡湯而得治驗之說是或可試用也然始一章鍼家之說中一章舉病名論證末六章云自愈而不舉治法未聞如此劇證不藥自愈者皆本編之所無也

傷寒六七日、是舉內外之證俱在、其地位似深而反淺者、以明結胸病內外證之別也、

此章、云傷寒六七日、以照前大陷胸湯章、云大陽病者、以明前大陷胸湯章、其地位似淺而及深、此章其地位似深而反淺者也、云傷寒六七日者、明其地位似深於大柴胡湯之地位者也、又以此章傷寒六七日、以照下二章云傷寒五六日者、以明下二章其地位似淺而反深、此章其地位似深而反淺者也、又明結胸病內外證之別者、凡結胸病之證、以其外證直引而陷內、而水熱結於心下、是通內外證而一途者也、而此章所舉者、內外證二途者也、又以此章照下二章者、亦明下二章所舉者、通內外證而一途者、而不同此章內外證二途者也、綜而言之、則大陷胸湯結胸證、雖不見外證、而猶引外證入內者也、故其外證未去者、固已非二途也、然大陷胸湯結胸之證、既是以其外證陷內者、則其大例、不當見其外證、故於大陷胸湯結胸之證、則不可的言有外證、又不可的言無外證、

故於此柴胡加桂枝湯內外證二途者、以明大陷胸湯結胸之證、於其內外證者一途也、**發熱微惡寒**、是擧外證也、微惡寒者、微微惡寒者也、此外證欲去、而未去者也、此發熱微微惡寒之不去者、但以內有大柴胡湯之證故、是表證欲去而未能去者也、少和其表、則此微惡寒發熱自去者也、乃所以加桂枝也、**支節煩疼**、是明其熱在間位、是小柴胡湯之所主也、**微嘔**、亦明小柴胡湯之所主也、微嘔者、謂病人但有欲嘔之氣而未嘔者也、**心下支結**、是明大柴胡湯之所主也、心下支結者、謂非心下有鞕狀、按之而濡、心下有結聚、而其結聚支引左右也、是比胸脇苦滿、似淺而反深一等者也、**外證未去者柴胡加桂枝湯主之**、是爲加桂枝擧之也、外證未去者、謂上之發熱微微惡寒者、外證未去者、猶云外證欲去、而未去者也、外證欲去而未去者、少和其表則自去、是所以加桂枝也、云柴胡加桂枝湯主之者、是大柴胡湯方中加桂枝者也、云主之者、此章所擧之證似有多途者、故云主之、以斷其無多途也、凡云主者、皆主一而無他適之言也、何以知之、夫發熱微微惡寒者、是無他、是外證欲去而未能去者也、又支節煩疼微嘔者、雖云小柴胡湯之所主、然而傷寒六七日、是大柴胡湯之地位、而其深者也、而又有嘔與心下支結之證、深於胸脇苦滿一等、又有發熱、發熱胃中之事也、故其地位已深、其證又深於胸脇苦滿、又以其發熱而嘔、合此三者、是大柴胡湯之諦證也、故曰柴胡加桂枝湯主之也、是言傷寒六七日、是爲大柴胡湯之地位、然而發熱微惡寒、是仍少有外證也、而支節煩疼、微嘔胸脇滿者、是小柴胡湯之證也、外證當去而未去者、是小柴胡加桂枝湯主之也、若傷寒五六日、大柴胡之地位、而外證發熱微惡寒、又內證支節煩疼微嘔、而心下支結者、是心下支結其證已深也、故雖支節煩疼、猶是大柴胡湯之證也、而外證當去而未去者、大柴胡加桂枝湯主之也、此二證者皆陽證實病也、若其大陷胸湯之證、則内有胃中虛證、而其外證似皆已解、而其實外證仍未解、直別其外證而入其裏、遂結於心下、故其外證似已解者、而其病之地位、則在大柴胡湯之地位、故大陷胸湯之證、綜而言之、則内有胃中虛證、外表證未解而似已解者、故傷寒六七日、發熱頭痛、而且心下微結、脈沈、外證似已解者、是大陷胸湯之所主也、此三證者、地位已同、而其病因之別如此、不可不審察者也、

柴胡加桂枝湯方

大柴胡湯方中加桂枝三兩、水煮與本方同法

補此方宋板成本、俱以小柴胡湯合桂枝湯也、然據論中云心下支結、則當以大柴胡湯加桂枝也、且云柴胡加桂枝湯、則加桂枝一味審矣、

傷寒五六日、是擧陽虛在上、而見其證於心下者、以明與大陷胸湯證相類、而其實不同者也、是柴胡桂枝乾姜湯之證、陽虛在上、而見其證於下心下者也、大陷胸湯之證、胃中虛在下、而見其證於上心下者也、其微結小便不利渴而不嘔、但頭汗出心煩者、大陷胸湯柴胡桂枝乾姜湯、皆同其證者也、但其所見之證、有先後之次第耳、若傷寒五六日、已發汗、而表證仍未解、而復下之、遂續而先見胸脇滿之證、又尋見往來寒熱之證、加之微結小便不利渴而不嘔、但頭汗出心煩者、是雖表證似解、而未解者也、何以知之、以其先見其胸脇滿之證、又見往來寒熱之證故也、又以其不嘔而心煩、與已發汗而外證仍未解故、知陽虛在上者也、若傷寒五六日已發汗、而表證仍未解、而復下之、遂續而先見心下微結之證、又見小便不利渴而不嘔、但頭汗出心煩、外證已悉入在裏、於是見往來寒熱、則知此往來寒熱、在大柴胡湯之地位、然則其地位同於大陷胸湯、而其證亦合大陷胸湯是不疑為大陷胸湯之證者也何以言之有胸脇滿之證而有往來寒熱之證是柴胡之的證也而大陷胸湯之證與大柴胡湯之證同其地位者也故往來寒熱雖非其常證而亦當時有之耳若其胸脇滿則大屬小柴胡湯而小屬大柴胡湯者也故其於大陷胸湯之證則終不得有之也故大陷胸湯前章亦舉往來寒熱然此不可常者而其在學者當以意求之者也非獨此而已至其他疑證亦無不皆然此仲景診病之定法也云傷寒五六日者是舉大小柴胡及大陷胸湯之地位也凡舉日數者不過舉其病所在之地位故凡讀傷寒論者苟得其病所在之地位則不必拘拘其日數是謂之善讀傷寒論者也何以知其病所在之地位在先知其藥方之地位何如也又在診其脈證以知其淺深也故苟知其病所在之地位則於其日數是筌蹄之於魚兔也獲魚兔而忘筌蹄得病之地位而忘其日數是為得診病之道也其要在學者之意悟之也已發汗而

復下之既云已而又云復者，此甚之之辭也。何以甚之乎？曰：是以為陽虛在上，而醫不察，故用甚之之辭也。言傷寒五六日，已發汗而外證未去，謂是其病在內，故外證不得去，而復下之也。是非其病在內而外證不得去者，但以陽虛在上之故也。雖已發其汗，而外證不能去，又雖復下之，而外證不能去也，而醫不察焉，故云已發汗而復下之也。**胸脇滿**先云胸脇滿者，是明非其病在內，是始引其外證而入其裏者也。若其病在內之下，而復下之，使胃中空虛，則其外證之入裏者，必先見微結於心下者也。今先見胸脇滿，是非其病之在內之下，又非胃中空虛者，然而已發汗而外證不得去，又復下之，而外證不得去，今遂入裏而為胸脇滿者，此陽虛在上故也，是所以先云胸脇滿也。**微結**是謂微結於心下也。先云胸脇滿，而次云微結者，先見胸脇滿之證，而稍見微結，或以胸脇滿為主證，而微結為傍證也，是明非結胸證也。**小便不利**先云微結而次云小便不利、但以微結於心下之故、致此小便不利也、若其結胸證、而有此小便不利、則必少腹有事也、而結胸之證、不云少腹有事者、是結胸之證、而有少腹有事、是其常也、然而見其證與不見、是所不明者、唯在學者之意悟之也、故此先云微結、而次云小便不利者、以明此小便不利是微結之所致也、

渴而不嘔、

此心下微結、小便不利、渴而不嘔、是似大陷胸湯結胸之證、然此以胸脇滿爲主證、則非復大陷胸湯結胸之證、但以心下微結之故、致此渴耳、而其不嘔者、胸脇心下、雖有此滿結、而心下之下、及其腹中、則終無事也、然則其病之所在者、下極心下、而上在心胸之中也、其病既下極心下、而上在心胸之中、終不見腹部之證、則其病之所根猶在其表可知也、又云不嘔者、以明亦非大小柴胡湯之證也、

但頭汗出、往來寒熱、心煩者、

是明非無表證者、亦非大陷胸之證、是陽虛在上、而表邪上攻者也、云但頭汗出者、謂餘處無汗者也、餘處無

汗、但頭汗出者、似是無表證者也、又雖有胸脇滿之證、然心下微結、小便不利、渴而不嘔、但頭汗出、似是大陷胸湯之證、然而往來寒熱、而胸脇亦滿、則是非無表證者、亦非大陷胸湯之證、然而其心煩者、是其病在上也、非復全在表者、亦非大陷胸湯之證也、是上於大陷胸湯之證一等者也、是即陽虛在上、而表邪上攻者也、

此爲未解也、柴胡桂枝乾薑湯主之、

謂雖是似表證已解者、而仍未解者也、言陽虛在上而表證直入於上者、雖似表證已解者、然於法、是爲表證未解者、而治之也、是其治法、不與表證直入小柴胡湯之地位者同也、凡表證直入小柴胡湯之地位者、皆爲表證漸解、而但有裏證者、若其陽虛在上、表證直入其上者、是於法爲表證未解、直引而入其裏者也、故於白虎湯之證、云表裏證者、亦同於此道也、非必有其表證者也、是治法之大別也、故此章云此爲未解者、明此治法也、此章綜而論之、言傷寒五六日、已發汗、其表

證仍未解而醫見其表證仍未解以爲此病在內之故表證不能解遂復下之其表證遂入裏先見胸脇滿之證尋而心下微結小便不利不渴而嘔但心煩往來寒熱者柴胡加桂枝湯之所主也若表證漸解而但有此證者大柴胡湯之所主也是皆前後同一證者也若傷寒五六日雖已一發汗而以內有胃中之虛證故其表證不能去而醫不深察焉但謂內有實病乃復下之遂致胃中空虛陽氣內陷表證悉皆入裏其證先見心下微結小便不利渴而不嘔但頭汗出往來寒熱心煩者此將成結胸大陷胸湯主之也若傷寒五六日雖已一發汗而以內有陽虛在上故其表證不能去而醫不深察焉但謂病在內而表證不能去乃復下之於是表證遂直入裏表邪上攻先見胸脇滿之證尋而心下微結小便不利渴而不嘔但頭汗出往來寒熱心煩者是於治法雖似表證已解而以爲仍未解者治之也柴胡桂枝乾薑湯主之也

柴胡桂枝乾薑湯方

柴胡半斤 桂枝三兩 乾薑三兩 黄芩三兩

括蔞根四兩 牡蠣三兩 甘艸二兩

右七味以水一斗二升煮取六升去滓再煎取三升温服一升日三服初服微煩復服汗出便愈

補 初服以下後人之所加當刪去也

傷寒五六日頭汗出微惡寒手足冷心下滿口不欲食大便鞕脈細者此爲陽微結必有表復有裏也脈沈亦在裏也汗出爲陽微假令純陰

結不得復有外證悉入在裏此為半在裏半在外也脈雖沈緊不得為少陰病所以然者陰不得有汗今頭汗出故知非少陰也可與小柴胡湯設不了了者得屎而解

補 此章煩砕冗長出於後人者也且云陰結陽結者非本編陰陽之義也又沈緊者少陽之本脈而非少陰之脈也

傷寒五六日嘔而發熱者是舉大陷胸湯之證與大小柴胡湯證之異同且辨大陷胸湯結胸之鞕與半夏瀉心之痞鞕及大柴胡湯心下滿急結其狀各有異同也大柴胡加桂枝湯之證是有裏有表者也是與大陷胸湯之證同其地位而異其證者也大陷胸湯之證引其表證入而為一裏證者也與大柴胡加桂枝湯之證表裏併有者不同也又柴胡桂枝乾姜湯之

證、是陽虛在上、而見心下之證者也、大陷胸湯之證、是胃中虛在下、而見心下之證者也、又大陷胸湯之證、與大小柴胡湯之證異同者、大陷胸湯之證、與大柴胡湯證同其地位、而其引其外證而入裏者、與小柴胡湯證同也、是大陷胸湯之證、與大小柴胡湯異同者也、又大陷胸湯結胸之鞕、則與腹皮俱石鞕者也、半夏瀉心湯心下痞滿之鞕者、腹皮頗濡、而內有其鞕者也、然比之於大陷胸湯結胸之石鞕、則不足謂之鞕也、而大柴胡湯心下滿急結者、比之於半夏瀉心湯心下痞之鞕、亦爲有問、是三湯證之大別也、云傷寒五六日嘔而發熱者、傷寒五六日者、是明大小柴胡湯之地位也、而其嘔而發熱者、以明有大小柴胡湯之一證、而未全具大小柴胡湯證者也、云柴胡湯之證具而以他藥下之者、柴胡湯證具者、或往來寒熱、或胸脇苦滿者也、傷寒五六日、而已至大小柴胡湯之地位、又嘔而發熱、以見大小柴胡湯之一證、又復見胸脇苦滿、或往來寒熱者、故云柴胡湯證具也、云傷寒五六日者是擧柴胡湯之地位也**柴胡湯**云嘔而發熱者是擧柴胡湯之一證也**證具**既在柴胡湯之地位又見嘔而發熱之一證於是或見往來寒熱或見胸脇苦滿或見心下急而腹中痛者是柴胡湯之證具也**而以他藥下之**是當以柴胡湯主之而醫不察焉以他藥下之是誤治也故云而也**柴胡證仍在者復與柴胡湯**復者謂復於其初也柴胡湯者通大小柴胡湯言之也是柴胡湯證具而醫以他藥下之是誤治也雖云下之而不能下柴胡湯之證故柴胡湯之證依然仍在也柴胡湯之證仍在者雖已下之而察其脈證却復於其初以與大小柴胡湯也若嘔而發熱往來寒熱或胸脇苦滿者雖似是大柴胡湯證而既經其下之故與小柴胡湯也若嘔而發熱心下急腹中痛者雖已下之仍與大柴胡湯下之也**此雖已下之不爲逆**此謂與大柴胡湯下之者也**必蒸蒸而**

振却發熱汗出而解 是謂與小柴胡湯者也卻謂復其初者也此言小柴胡湯之證引其表證而入裏者也既入其裏則其表證似已解者而其實未解者也故與小柴胡湯則必蒸蒸而振却復其初證發熱汗出而解也既云雖已下之不為逆以舉與大柴胡湯之事又云必蒸蒸而振却發熱汗出而解以舉與小柴胡湯之事然後承之以大陷胸湯之證也

若心下滿而鞕痛者此為結胸也大陷胸湯主之 是言大陷胸湯之證於其地位則與大柴胡湯同也若其病因則不與大柴胡湯同而同於小柴胡湯引其表證以入其裏者也是大陷胸湯之證所以不與大小柴胡湯之證同也言傷寒五六日嘔而發熱者柴胡湯證具而以他藥下之已下之後若心下急而痛者此柴胡湯之證仍在也與大柴胡湯主之若心下滿而石鞕如板按之而痛者此即為結胸也是以下之之故胃中虛以見此證是無所可疑者也

固當斷然以大陷胸湯主之也。**但滿而不痛者此爲痞**。是擧大陷胸湯之鞕、與半夏瀉心湯之鞕大不同也。而心下之滿大陷胸湯之滿、亦猶半夏瀉心湯之滿也。是異其鞕而同其滿也。故上文不云心下鞕滿、云心下滿而鞕痛。下文云但滿而不痛、而故略其鞕也。是其意言、大陷胸湯之鞕者、其鞕如板、而與腹皮之鞕者、所謂石鞕也。半夏瀉心湯之痞鞕者、猶在其裏猶濡也。比之於大陷胸湯之鞕、則蔑如也。故此略其鞕、而下生姜瀉心湯及甘艸瀉心湯始擧其鞕。是以半夏瀉心湯之鞕、遠之於大陷胸湯之石鞕也。**柴胡湯不中與之宜半夏瀉心湯**。此欲以明半夏瀉心湯鞕、與柴胡湯心下急結者、其狀頗相似也。又不云半夏瀉心湯主之、而云宜半夏瀉心湯者、宜者權用之言也。其意言柴胡證之劇者、時有可疑於半夏瀉心湯之證者。又大陷胸湯之始證、時有可疑於半夏瀉心湯之證者。故權用半夏瀉心湯、以觀其後證。如何也、此章綜而論之、言傷寒五六日、嘔而發熱者、或胸脇苦滿、或往來寒熱、或心下急、若支結者、是柴胡湯地位、而柴胡湯之證已具者也、法當先與小柴胡湯、而後以大柴胡湯下之也、而醫不察焉以他藥下之、是誤治也、故雖下之而不能下柴胡之證、故下之之後、柴胡之證仍在者、更復其初、以與大小柴胡湯也、若嘔而心下急往來寒熱者、以大柴胡湯下之也、是雖已下之、不為逆也、若嘔而發熱、胸脇苦滿者、與小柴胡湯、必蒸蒸而振、却發熱汗出而解也、是仍有表證故也、傷寒五六日、在大柴胡湯之地位、嘔而發熱者、或胸脇苦滿、或往來寒熱、或心下急結、柴胡湯之證具、而醫以他藥下之、遂在其地位、而引表證入裏、心下滿而鞕痛者、此為結胸也、無復可疑者、大陷胸湯主之也、若但滿而不痛、其鞕不足言鞕者、為痞鞕也、半夏瀉心湯主之、若與半夏瀉心湯之後、其鞕遂成石鞕而滿痛者、仍是大陷胸湯之所主也、若與半夏瀉心湯之後、心下急、或微結、其痛如腹痛者、大柴胡

湯之所主也、故權用半夏瀉心湯、以觀其後證如何也、

補 右四章、始一章、擧結胸之全證、以照上節而明大陷胸湯之地位也、第二章擧內外兩證者、第三章擧外證直入于上者比並、以明各證之異同也、第四章擧大小柴胡湯之證、而明辨結胸與痞、以結前起後也、

半夏瀉心湯方

半夏半升　黃芩三兩　乾薑三兩　人參三兩

黃連一兩　大棗十二枚　甘艸三兩

右七味以水一斗、煮取六升去滓、再煮取三升、温服一升、日三服、

大陽少陽併病而反下之成結胸心下鞕下利不止水漿不下其人心煩 補 結胸證既具于本編此章忽略且不擧治法不足取

脈浮而緊而復下之緊反入裏則作痞按之自濡但氣痞耳 補 此章傷寒表證脈浮緊者不發汗而反下之其熱入裏而作痞者故云緊反入裏則作痞也然不擧證而論以脈論者非本編之例也且云氣痞者亦非本義也

大陽中風下利嘔逆 是擧大陽大表之病證而併有裏證之下利嘔逆者以辨大小柴胡及大陷胸湯等之直引其表證而入其裏之別也此大陽中風下利嘔逆者其表證自是表證而其裏證是自裏證是表裏二證併有之也大小柴胡及大陷胸湯等之證雖有表裏之證俱

是一本證也、此兩道者、頗涉於疑似者、故此章明其別也、夫大陽中風、雖復云大表證、而其劇者其熱暴急、與傷寒及大陽病之劇者、其證相似者也、然則何以辨下利嘔逆、與大陽中風病證、各自爲一證、又何以辨傷寒及大陽病之劇者、表裏通爲一證者之別、曰、是以其發病辨之也、以其發汗後辨之也、曰、其治法何以別之、曰、雖復大陽病傷寒及中風、苟有惡寒發熱之表證、則於其治法、同是一道也、皆以表發爲其治法者也、是乃無異者也、至其發汗後、然後始知是爲傷寒大陽病、是爲中風也、以何之故、曰、傷寒及大陽病、其證本熱悍者也、而表證暴急如此、則雖經發汗、其表裏之證、未可遽除者也、若乃大陽中風、其病證無根據於內者也、故其表熱雖復暴急、而經其發汗、則其表熱之證洒然也、是發汗後之異候也、又舉此證於此者、欲以明下之生姜瀉心湯甘艸瀉心湯赤石脂禹餘糧湯旋覆代赭石湯、皆是單裏證、而不干涉於表證者也、云大陽中風下利嘔逆者、云大陽中風者是明為太陽大表之病證、是為太陽大表之病證、則其已下利嘔逆、別是其裏之餘證已、是其為病證貳其本也、與大小柴胡及大陷胸湯等之内外諸證一其本者固別也、太陽中風其熱暴急者、時亦有嘔逆者也、然則此文當云太陽中風嘔逆下利、而今云下利嘔逆者、欲以明太陽中風是為太陽大表之病證、則雖有嘔逆之證、而於其治法、謂為他證也、況下利而嘔逆愈以為下利之所致也、假令此嘔逆、為中風之所致者、其於治法、則非所先也、何則假令為中風之嘔逆、則治其表證、而不治嘔逆也、表證已治、則嘔逆自治故也、故不云嘔逆下利、而云下利嘔逆也、

表解者乃可攻之

言大陽大表中風之證、而又内別有下利嘔逆之證者、此表證裏證併有也、當先治大陽大表中風之證、然後治其下利嘔逆也、若大陽大表之證未解、則未可攻其下利嘔逆也、大陽大表中風之證已解、然後乃始可攻其下利嘔逆也、是治法也、云攻之者、主十棗湯攻擊之劑

言之、而包半夏瀉心湯及生姜瀉心湯甘草瀉心湯之證也。是太陽大表中風之證、而其病無根據於內者也。故疑表證已解之後、下利嘔逆、心下痞鞕者、或是半夏瀉心湯及生姜瀉心湯甘草瀉心湯之證也。何則半夏瀉心湯及生姜瀉心湯甘草瀉心湯之證、其病亦無根據者之故也。而其十棗湯之證、亦無根據、而頗其劇者也。故此類擧之也。**其人漐漐汗出、發作有時、頭痛、**是爲十棗湯擧其疑途也。其疑途有三也。發作有時者、熱之發作有時也。何謂疑途有三乎。若其人漐漐汗出、發作有時、頭痛而惡寒者、是表未解者也。若但其人漐漐汗出、熱之發作有時、頭痛者、是調胃承氣湯之疑途也。若其人心下痞鞕滿、引脇下痛、短氣、或乾嘔者、是內有十棗湯證之故、使其表證不得去也。**心下痞鞕滿、引脇下痛、乾嘔短氣、**是總擧十棗湯之本證也。云心下痞鞕滿者、是明十棗湯之心下痞鞕滿、不同於大陷胸湯及半夏瀉心湯之證也、十棗湯之心下痞鞕滿、比之大陷胸湯之石鞕、則其鞕滿太濡也、比之於半夏瀉心諸湯之心下痞鞕而滿者、則此十棗湯之心下痞鞕滿、巳是頗劇、故此十棗湯之心下痞鞕滿是在大陷胸湯與半夏瀉心諸湯之中間者也、故此文不云心下痞鞕而滿、而云心下痞鞕滿、以明其別也、云短氣者、是具擧十棗湯之諸證也、其實乾嘔或短氣者、短氣或乾嘔者也、未必具此兩證者也、

汗出不惡寒者、此表解裏未和也、言其人漐漐汗出、發作有時、頭痛而不惡寒者、此似其表未解也、而非其表未解者、又非調胃承氣湯之證、是內有十棗湯水氣之證之故、使其裏不和而見此證、也、非謂十棗湯之能和其裏也、**十棗湯主之、**是其爲病證、雖有三疑途、而今有心下痞鞕滿、引脇下痛、乾嘔或短氣之證、則是爲十棗湯之的證、無所可疑者也、故云主之也、此章綜而論之、言大陽中風既是大陽大表之證、而內別有下利嘔逆之證、表裏

各異其病而併病而病之者其治法當先治其大表之證若其大表之證未解則未可攻其下利嘔逆之裏證也其表證已解然後乃始可攻其下利嘔逆之裏證也大陽大表之證已解之後下利嘔逆心下痞鞕而不痛而但滿者是半夏瀉心湯之所主也若下利嘔逆心下痞鞕滿引脇下痛者是當與十棗湯攻之若已服十棗湯之後下利嘔逆或腹中雷鳴心下痞鞕而滿心煩者是已在十棗湯服後則甘艸瀉心湯之所主也生姜瀉心湯亦主之當從其證而與之也大陽中風下利嘔逆者既解其表後其人漐漐汗出熱之發作有時頭痛者此調胃承氣湯之所主也若其人漐漐汗出熱之發作有時頭痛而不惡寒心下痞鞕滿引脇下痛短氣或乾嘔者此雖似其表未解者而是其表已解者也但以內有十棗湯水氣之證之故使其裏不和也與十棗湯以快利其水則其漐漐汗出熱之發作有時頭痛之諸證皆從之而去也

十棗湯方

芫花　甘遂　大戟　大棗

右上三味等分各別擣爲散以水一升半先煮大棗肥者十枚取八合去滓內藥末強人服一錢匕羸人服半錢温服之平旦服若下少病不除者明日更加半錢得快利後糜粥自養【補】温服以下後人之所加當刪去也且疑有誤脫

大陽病醫發汗遂發熱惡寒因復下之心下痞表裏俱虛陰陽氣並竭無陽則陰獨復加燒鍼

因胸煩面色青黃膚瞤者難治今色微黃手足温者易愈

補　此章杜撰妄言不待辨然恐初學之惑故分疏示其概焉大陽病本發熱惡寒者醫發其汗遂續發熱惡寒則前證依然表未全虛也因復下之唯見心下痞一證而未見下利數十行復中雷鳴穀不化等之證則裏未全虛也而云表裏俱虛陰陽氣並竭其杜撰一也又上云陰陽氣並竭下云無陽則陰獨夫既陰陽氣並竭則陰何獨有且人以陽氣爲有生之本若無陽陰獨則不死何爲其杜撰二也又上既云無陽則陰獨下云復加燒鍼夫燒鍼爲發汗設也而今無陽獨陰證雖狂愚者亦何加燒鍼之爲其杜撰三也又云復加燒鍼因胸煩面色青黃膚瞤者難治今色微黃手足温者易愈者因陰陽生剋分難易非本編之例其杜撰四也又脈證不具治法不舉其杜撰五也且成無忌註竭陽爲表虛竭陰爲裏虛無陽爲

表證罷陰獨爲裏有痞皆不合于醫書之字例況本編之例乎要之通篇皆以爲正文而不知有後人之僞章故牽強作解其不可依據如此學者察焉

心下痞按之濡其脈關上浮者大黃黃連瀉心湯主之

【補】此章及下二章無冐首且論證不具故不可知病之所因而來也然痞證因誤下而來者多矣故本編云醫見心下痞謂病不盡復下之其痞益甚此非結熱但以胃中虛客氣上逆故使鞕也而今此證若因誤下而來則不可用大黃再下亦既明矣若不經誤下而成痞則法當兼治表裏而獨不可攻其痞也若有變證可獨攻其痞則當具論其脈證也今突然用大黃黃連瀉心湯者不知本編之例也

大黃黃連瀉心湯方

大黄二兩　黄連一兩

右二味以麻沸湯二升漬之須臾絞去滓分温再服

心下痞而復悪寒汗出者附子瀉心湯主之

補 凡本編之例陰陽兩證者先治陰證而後治陽證是仲景氏之心訣而治法之大關鍵也今悪寒汗出者既非桂枝證則是陽虚證也而以大黄黄連瀉心湯為主而加附子以兼治陽虚與痞證者恐不敗鮮矣

附子瀉心湯方

大黄二兩　黄連一兩　黄芩一兩

附子二枚別 煮取汁

右四味切三味以麻沸湯二升漬之須臾絞去滓内附子汁分溫再服

本以下之故心下痞與瀉心湯痞不解其人渴而口燥煩小便不利者五苓散主之

補 此章深於五苓散證一等者也而不擧其下利止與不止與脈狀論則不可的知本證也

傷寒汗出解之後

是擧傷寒病已解之後非有其餘毒而但承表熱之後而胃中不和者以辨與上章十棗湯證表裏併病不同也是其爲病證非有根據於中者但以承其表熱之後故有此胃中不和之證也云傷寒汗出解之後者以明傷寒表證固已不劇而其餘毒不足根據

於中、但以承表熱之後、姑有此證也。胃中不和、是爲法語也。夫胃中之和與不和、是不可見者也。然而爲治之道、自非知其衆證之所歸者、會此一途、則茫洋不知所適從、而不可得而處其方。故必擧其法語、以總括其衆證之所歸會者、以示學者以其方法也。言心下痞鞕、而乾噫食臭者、是於法爲胃中不和之所致也。又心下痞鞕、而脇下有水氣、腹中雷鳴下利者、是亦於法爲胃中不和之所致也。故但心下痞鞕、而乾噫食臭者、是即生姜瀉心湯之所主也。又心下痞鞕、而脇下有水氣、腹中雷鳴下利者、是亦生姜瀉心湯之所主也。併擧此二證者、是悉擧其衆證也。必擧其衆證者、終始瀉心湯之證、以明其地位、使夫學者意悟其所之、以臨機制變、以多多益辨也。故乾噫食臭、而脇下有水氣、腹中雷鳴下利者、及心下痞鞕、而腹中雷鳴下利者、苟得其要領、則皆與生姜瀉心湯可也。不必悉具衆證、要在得其地位也。是所以建法語也。心下痞鞕、乾噫食臭心下痞鞕之證、其途固非一二、必有乾噫食臭之證、然後可以爲胃中不和之所致也、是噫氣也、而云乾噫者、以别噫氣有食臭而吐其食物、及吐出濁水者、故云乾噫也、噫氣有食臭而吐出其食物者、是有實也、噫氣有食臭而吐出濁水者、是有飲也、不與此胃中不和之證同、故云乾噫、以明其異也。

脇下有水氣腹中雷鳴下利者、云脇下有水氣者、是法語也、又其證候也、以法語言之者、欲使學者自弘其證也、言胃中不和者、其證候必脇下有水氣者也、故心下痞鞕、腹中雷鳴、下利者、雖無的見脇下有水氣之證候、而苟有其類證、則斷以爲胃中不和而治之也、又其證候者、脇下瀝瀝然有聲也、又云脇下有水氣、腹中雷鳴、下利者、以明此證有三疑途也、其一則脇下有水氣、腹中雷鳴、不痛、先雷鳴、然後但下利者、而心下痞鞕、此胃中不和也、其二則先下利日數十行、然後始腹中雷鳴、而不痛者、是胃中虚者也、非但胃中不和也、其三則腹中雷鳴而

腹切痛下利者、是有寒也、是明其疑途者也

生薑瀉心湯主之

言、傷寒病不甚劇者、但汗出而解之後、當其餘毒不足根據於中、但以承大熱之後、使胃中不和也、故心下痞鞕、而乾噫食臭者、是爲胃中不和之所致、生姜瀉心湯主之也、若噫而出水及噫而出物者、是有飲也、又有實也、皆非此湯之證也、又心下痞鞕脇下有水氣腹中雷鳴下利者、亦生姜瀉心湯之所主也、又心下痞鞕腹中雷鳴下利者、亦生姜瀉心湯之所主也、然是必須見脇下有水氣之類證也、是皆胃中不和之所致也、其證必不腹痛者也、又下利日數十行、而後始腹中雷鳴心下痞鞕者、是胃中空虚者也、非復胃中不和者、即甘草瀉心湯之所主也、若腹中雷鳴切痛而下利者、是爲有寒也、非復胃中空虚之例也

生薑瀉心湯方

生薑四兩　甘艸三兩　人參三兩　乾薑一兩

黃芩三兩　半夏半升　黃連一兩　大棗十二枚

右八味以水一斗煮取六升去滓再煎取三升溫服一升日三服

傷寒中風醫反下之其人下利日數十行

是擧胃中虛而下利者、與以其表證而下利者之疑途也、文以明胃中不和、與胃中虛者之別也、胃中不和者、以承表證之後、故適致其不和、無有他根據者也、其胃中虛者、是屬陽虛者也、故其治法、以治其陽虛爲先也、云傷寒中風醫反下之其人下利日數十行者、傷寒中風、先與湯藥、以治其表證、而其表證未去、醫見以爲其熱在裏、故使其表證不得解也、故醫與以下劑也、以爲下其裏熱、則其表證自解也然而中風傷寒雖已攻其表而其表熱仍在者於法未可下者也而今醫下之是誤治也故云反下之也故云醫反下之其人下利日數十行者言此下利非其病之所爲者是醫人誤治之所爲者也

穀不化腹中雷鳴心下痞鞕而滿乾嘔心煩不得安

是擧胃中空虛之證也是此章之主證也而言之於此者欲使學者知就其病數證疑途之中審擇其主證也言若其人但下利日數十行心下痞鞕而滿乾嘔心煩不得安表裏俱熱者此協熱利也若見少陽證者此表熱入攻其上者也若穀不化腹中雷鳴者而有此下利心下痞鞕而滿乾嘔心煩不得安者是胃中虛者也凡學者之於其病數證疑途之中以審定其主證皆用此法以爲診視衆病之法則也云心下痞鞕而滿乾嘔心煩不得安而承穀不化腹中雷鳴之下者以明穀不化腹中雷鳴是此章之主證而心下痞鞕而滿乾嘔心煩不得安者是爲其傍證凡胃中虛而穀不

化腹中雷鳴者不必具下利心下痞鞕而滿乾嘔心煩不得安之數證而因下之表熱遂入裏而上攻者必多具下利心下痞鞕而滿乾嘔心煩不得安之數證者也而此舉胃中虛穀不化腹中雷鳴者之主證而必帶說心下痞鞕而滿乾嘔心煩不得安之數證者其義猶云其人下利心下痞鞕而滿乾嘔心煩不得安者若穀不化腹中雷鳴者即是穀不化腹中雷鳴爲其主證也若無穀不化腹中雷鳴之證者心下痞鞕而滿是爲其主證也故歷舉二病之全證以示審定其主證也

醫見心下痞謂病不盡復下之其痞益甚

云見者以明其麤也云謂者以示以其臆度從事也以識不審推其見證以定其主證也言醫不審推其見證以定其主證而遽見心下痞鞕而滿乾嘔心煩不得安者以己之臆度謂是表熱入裏上攻而爲此心下痞鞕是心下痞鞕爲此病之主證而表病不盡之所致然則此心下痞鞕是爲熱結也是醫之麤也不審推穀

不化腹中雷鳴之故也、故醫復下之、其痞益甚也、何則元以其下之之故、胃中虛、使之然、而今復下之、以益成其虛、故其痞益甚也、此非結熱、但以胃中虛客氣上逆、故使鞕也、甘草瀉心湯主之

云但者、以示不足深疑之辭也、言此證似是表熱深劇之所致、是可深疑者、然有穀不化腹中雷鳴之證、則所謂深劇者、是但胃中虛客氣上逆故使鞕也、不足深疑、固當與甘草瀉心湯而主之、言傷寒中風、外證未解、是未可下、而醫反下之、是逆治也、若其人遂脇熱下利、日數十行、心下痞鞕乾嘔心煩、表裏未解者、桂枝人參湯之所主也、若其人脇熱下利日數十行、心下痞鞕、乾嘔心煩、而見少陽證者、此黃芩加半夏生姜湯之所主也、是其心下痞鞕、於法為熱結者也、又傷寒中風、外證未解、而醫反下之、表證已解、心下痞鞕、脇下有水氣、腹中雷鳴下利、或乾噫食臭者、是下利不劇而穀仍化者、是於法為胃中不和之證也、非復胃

中虛者也、生姜瀉心湯主之也、又傷寒中風、外證未解、而醫反下之、其表證已解、其人下利日數十行、穀不化、腹中雷鳴、而心下痞鞕而滿、乾嘔心煩不得安者、是其人下利日數十行、而又穀不化、又腹中雷鳴者、是胃中虛之本證也、而又心下痞鞕而滿、乾嘔心煩者、是客氣上逆之故也、皆非熱結之所爲、甘艸瀉心湯主之也、

甘艸瀉心湯方

甘艸四兩　黄芩三兩　乾薑三兩　半夏半升

大棗十二枚　黄連一兩

右六味、以水一斗、煮取六升、去滓、再煎取三升、温服一升、日三服、

傷寒服湯藥下利不止、是承上章胃中虛而下利者、以明傷寒有表證而下焦有久寒下利者、及表熱入下焦、水穀不分離而下利者也。上章胃中虛而下利者、是未成寒者也。此章、傷寒有表證、而又下焦有久寒、是下焦久寒、先傷寒表證而有之也。又胃中虛者、其上也、下焦久寒者、其下也。故次之也。傷寒者明有表證也。服湯藥者、明服解表證之藥也。下利不止者、明此下利與傷寒表證俱併起者也。

心下痞鞕、是明下利仍不止、續而心下痞鞕者也。傷寒服湯藥下利不止、心下痞鞕者、是言傷寒表證其發病之時、既與此下利俱併起者、醫見以爲此下利、表證之所爲也。先與解表證之湯藥、則此下利自止也。而病人已服此解表證之湯藥、表證以解、而此下利仍不止、續而心下痞鞕也。是心下痞鞕、在此下利之後也。然則此心下痞鞕、下利不止之所致、而此下利、非心下痞鞕之所致明矣。

服瀉心湯已、復以他藥下之

利不止、服瀉心湯已者、服瀉心湯已、而下利不止、而心下仍痞鞕也、復以他藥下之者、云復者甚之之辭也、醫不察其證之前後見者、而以己私意強行其治、是所以甚之也、以他藥下之、利不止者、醫以爲心下有結毒、而以他藥下之、其下利仍不止也、服瀉心湯已、復以他藥下之、利不止者、言此心下痞鞕、下利不止之所致、而下利非心下痞鞕之所致也、而醫不察其證之前後見者、遽觀心下痞鞕、以爲此下利不止者、是心下痞鞕之所致也、與瀉心湯以解其心下痞鞕、而利仍不止也、而醫猶不知察其證之前後見者、以改其前治之謬、遂強其私臆、以爲此心下痞鞕、是心下有結毒之所致也、而下利不止者、亦因此也、而又以他藥下之之所致也、然此心下痞鞕、是下利不止之所致、而此下利非心下痞鞕之所致也、故雖以下心下結毒之藥下之、而其藥是他藥、而終非此證之的藥、故雖下之、而其下利不止也、

醫以理中與之、云與者、權時爲之也、以理中與之者、言雖

在此醫而非以理中為可治下利之劑但治心下痞鞕而下利不止復以他藥下其結毒而下利仍不止故醫不得已權以理中與之以理中焦也其意以為此下利或在中焦若然則理中焦此下利或將自止也故云以理中與之也**利益甚**以明其治非其下利之所在也**理中者理中焦**言理中者理中焦者也今與理中而其下利益甚者此下利本在下焦而今理其中焦以輸之下焦故其下利益甚也**此利在下焦赤石脂禹餘糧湯主之**言先治心下痞鞕以理上焦而下利不止又復以他藥下其結毒而其下利仍不止又復以理中與之以理中焦而其下利仍不止此其下利既不在上焦又不在結毒又不在中焦然則是其下利的然在下焦無疑也非獨在下焦而已却觀之於其發病之始此下利與傷寒表證俱併起則此下利非表證之所致而下焦有久寒之所致也此其病源為二本然則為赤石脂禹餘糧湯之

所主無疑也、復利不止者、當利其小便、是又云復者、以其疑證爲甚之辭也、甚之者、言下利之證、既盡於上、而下利之治又盡於上、而復下利仍不止者、是非下利之證之致此下利、亦治下利之劑之當治此下利、是脇熱入裏而水穀不分離、故致此下利也、是表證與下利同是一本也、其治法當利其小便、此下利自止也、然則此下利傷寒病中之下利、是其治法當最在其始也、今反在其最後者、傷寒發病之時、未可入其裏、以爲此下利、然而以其表證而有此下利、則是變而非其正、非其所常、故置之於後、以示其不得已治法也、是傷寒有表證、又內有久寒下利者也、不然則是表熱入裏、水穀不分離而下利者也、而醫不推其證因、而徒以其臆度從事者也、言傷寒發病之時、既有其表證、又有此下利、醫以爲此下利者、是傷寒表證之所致也、與解表之湯藥以治其表證、則此下利當自治也、而病人服解表之湯藥、其表證果治、而此下利依然不止、續而心下痞鞕、是其下利非表證之所致也、而心下痞鞕此下利不止之所致、而非因心下痞鞕以致此下利者也、何則此下利不止、與心下痞鞕、其證之見、固有先後、是主證傍證之所分也、而醫不隨其證之先後所見者論之、而徒取之於己之臆、以爲此病有心下痞鞕、則是下利不止者此心下痞鞕之所爲也、今先治其心下痞鞕、則此下利當自止也、而病人既服瀉心湯已、而雖心下痞鞕頗已、然其下利依然不止也、何則醫不知證有先後而有主證傍證之別故也、醫猶尚不自覺悟、以爲此下利者、是内有結毒之所致也、復以他藥以下其結毒、而此下利依然不止也、於是醫猶尚不知其始、以繹其證之先後所見者、以爲既治其上焦、而下利不止、又治其結毒、而下利仍不止、此下利當在中焦也、今若理其中焦、則此下利當自止也、故理中湯雖非治下利之藥、而以權時之宜、與此理中湯也、而下利依然益甚、何以下利益甚、曰、理中湯者理中焦之藥也、而此下利本在下焦、今理中焦而輸之於下焦是所以使下利益甚也又此下利既不在上焦又非結毒之所致也又不在中焦然則此下利的然是在下焦又傷寒發病之時與其表證併起而表證已解此下利依然不止則此下利是為久寒之所致也的然矣是赤石脂禹餘糧湯之所主也亦無可疑矣是已治上焦又治結毒又治中焦又治下焦而下利復尚不止者非下利之正證是傷寒表熱入裏使水穀不分離之所致也當利其小便是下利當自止也然而傷寒發病之時既有此下利則是於法不可為表熱入裏之證而治之是不得已之時之變法也學者當審此治法也

赤石脂禹餘糧湯方

赤石脂一斤　禹餘糧一斤

已上二味以水六升煮取二升去滓三服

傷寒吐下後發汗虛煩脈甚微八九日心下痞鞕脇下痛氣上衝咽喉眩冒經脈動惕者久而成痿

補 此章不擧治法非本編之例也

傷寒發汗 是擧陽證有虛寒者與胃中不和心下痞鞕而有噫氣者其病本異也若以其病淺深之位言之則生姜瀉心湯爲淺甘草瀉心湯次之旋覆代赭石湯次之赤石脂禹餘糧湯又次之是淺深之序也而旋覆代赭石湯與赤石脂禹餘糧湯相對者也而彼赤石脂禹餘糧湯陰證虛寒其病在下焦者而此旋覆代赭石湯陽證有虛寒者是其病之大別也然則此旋覆代赭石湯其序當在甘草瀉心湯之下赤石脂禹餘糧湯之上也今不然者其義有三焉一則生姜瀉心湯證但陽證胃中不和而未見其虛者也甘草瀉心湯之證已見其陽虛者也赤石脂禹餘糧湯又更

見陰證虛寒者也且生姜瀉心湯同其腹中雷鳴下利之證者也故生姜瀉心湯之下受之以甘草瀉心湯赤石脂禹餘糧湯之證則與生姜瀉心湯甘草瀉心湯同其心下痞鞕下利之證故生姜瀉心湯甘艸瀉心湯之下受之以赤石脂禹餘糧湯也二則甘艸瀉心湯之下利在上焦者也理中湯之下利在中焦者也赤石脂禹餘糧湯之下利在下焦者也此亦三湯之所序也三則生姜瀉心湯甘草瀉心湯及赤石脂禹餘糧湯其證大煩者也而此旋覆代赭石湯之證其證大簡者也其類不同故不序之於上三湯之間也而此旋覆代赭石湯之章是受於上之生姜瀉心湯而與赤石脂禹餘糧湯相照者也故其文序在此也何則生姜瀉心湯之證但陽證胃中不和者耳無復他證者也而此旋覆代赭石湯之證雖云陽證有虛寒而其病無復他證者也是則相似也而有虛實之異是旋覆代赭石湯之所以承生姜瀉心湯也又與赤石脂禹餘糧湯相照者彼赤石脂禹餘糧湯之證

是陰證虛寒、而在下焦者也、而此旋覆代赭石湯之證、陽證有虛寒、而併及上焦者也、是二湯之所以相照也、此上三道者、其病與其藥淺深劇易之大別也、不可不察焉、云傷寒發汗者、是明傷寒表證已解、而無復餘證者也、**若吐若下**、以明或吐之或下之、以然之故、本證已愈之後、或有胃中不和之證、或有陽證有虛寒者也、**解後**、以明此心下痞鞕噫氣不除者、非復傷寒表證之所致也、若表證仍未解者、此心下痞鞕噫氣不除者、必是表證之所致也、乃今不然、故知此心下痞鞕噫氣不除者、非胃中不和之證、則是陽證有虛寒之所致也、**心下痞鞕噫氣不除者**、以明心下痞鞕、而有噫氣者、是於法、為胃中不和、當先與生姜瀉心湯也、已與生姜瀉心湯、而仍是心下痞鞕噫氣不除者、非復胃中不和之證、即是陽證有虛寒之所致也、此但云噫氣、而不云乾噫食臭者、以明非是有物出者、又亦非有食臭者、但是其氣噫、而有臭耳、故乾噫食臭

者、是胃中不和之的證也、但其氣
噫臭者、未必胃中不和之證也、**旋覆代赭石湯**
主之　凡云主之者、以明此是的然之證、而無復疑
途者也、謂心下痞鞕噫氣不除者、既非傷寒
表證之所致者、又非胃中不和之所致者、又無見
其他證者、然則是的然陽證有虛寒者之所致也、
故云旋覆代赭石湯主之、以明其義也、言傷寒發
汗、以解其表、或一吐之、以治其在裏者、或一下之、
以治其在裏者、於此二者而行其一、然後傷寒表
證之在表裏者、皆已解後、但心下痞鞕、而有噫氣
者、雖非復乾噫食臭者、是於法爲胃中不和之所
致者、當先與生姜瀉心湯也、已與生姜瀉心湯、仍
是心下痞鞕噫氣不除、無復見他證者、是的然陽
證有虛寒之所致也、旋覆代赭石湯主之、若其表
證仍在、而心下痞鞕有噫氣者、此柴胡湯之所主
也、若表證已解、與瀉心湯、而仍心下痞鞕噫氣不
除、腹中雷鳴下利者、是甘草瀉心湯、
證、所治也、各審其證、以法處之也、

補 右合四章、始一章、明辨太陽中風、表證裏證併起、而下利、心下痞鞕、由表解裏不和者也、第二章、明辨傷寒表解後、下利乾噫食臭心下痞鞕、由胃中不和者也、第三章、明傷寒中風、誤下後、下利穀不化、心下痞鞕、由胃中虛者也、第四章、明傷寒下利不止、心下痞鞕、其本在下焦者也、終章、明傷寒吐下後、心下痞鞕噫氣不除、由陽虛有虛寒者也、

旋覆代赭石湯方

旋覆花三兩　人參二兩　生薑五兩

半夏半升　代赭石一兩　大棗十二枚

甘草三兩

右件七味、以水一斗、煮取六升、去滓、再煎取三升、

温服一升、日三服、

下後、不可更行桂枝湯、若汗出而喘、無大熱者、可與麻黄杏仁甘艸石膏湯、

補 此章已見于前、但發汗後換下後已、

補 自前篇大陽病未解、陰陽脈俱停章、至于此正文二十六章、合為一大段、分為七節也、首節五章、明小柴胡湯之地位也、第二章、舉小柴胡湯之本證、第三章、舉帶表裏證者、始章與第四章、舉脈狀與調胃承氣小建中二湯、夾比以明小柴胡湯地位之淺深也、既明小柴胡湯之地位、故終章附小建中湯之地位也、第二節三章、明大柴胡湯之地位也、始章舉大柴胡湯之地位、且接上節第二章三章舉柴胡加芒硝調胃承氣二湯、此迺明大

柴胡湯地位之淺深也、第三節三章、明發狂之地位也、此始章、例當擧柴胡加龍骨牡蠣湯接上章、而不然者、此三章地位淺深不同、故擧桃核承氣湯自深至淺、則於文序為宜、且以接調胃承氣湯也、第二章、擧柴胡加龍骨牡蠣湯之地位、再接上節也、終章、擧桂枝去芍藥加蜀漆牡蠣龍骨救逆湯、以比並明發狂三證之地位也、且首節以柴胡之地位起、故中章擧柴胡之地位、照應首節、終節擧桂枝之地位、與後節隔段級、以為一小結也、第四節三章、前節既結、故此節別明狂證之地位也、且其地位深在下焦、與前節隔段級、故不以地位接、而以證接也、此三章、倶明抵當湯之地位也、第五節三章、明結胸之地位、也、是以上焦接下焦也、始章、擧結胸之本因、中章、擧結胸之本證、終章、擧結胸帶傍證與變證者、以明大陷胸湯之地位也、第六節四章、明心下諸證之地位也、始章、擧大陷胸湯之地位、以接前章、且起下三章也、第二章三章、擧柴胡加桂枝柴胡桂枝乾薑二湯、相比並明三湯之地位也、終章、擧半夏瀉心湯、以益明大陷胸湯之地位、且一小結、又起下節也、第七節五章、明心下痞鞕之地位也、始一章、明十棗湯之地位、以接前節也、第二章三章、明二瀉心湯之地位、又以審十棗湯之地位也、下二章、擧痞而有異證者、以爲總結也、

右七節次序、地位淺深、表裏上下、起伏照應、過接斷續、如觀一篇文章、學者能反復熟讀、則當得無窮之妙也、

傷寒論特解卷之四下

傷寒論特解卷之五

大日本　安藝　靜齋齋先生著
門人　尾張　淺野徽元甫　補註
弟子　富田肥大順　校正

大陽病篇第五

大陽病、外證未除而數下之、是擧大陽病淺證、外證未除而數下之、表裏合而成一病、其病猶是淺易者也、以與下白虎加人參湯之證、表證已解、而表裏俱熱、其病大是深劇者相照也、凡此章所明者、以明表裏證併在者、其治法有三途也、一則以明表裏之證併在者、各分其表裏爲二途而治之者、先與桂枝湯而後與生姜瀉心湯之類是也、一則以明表裏之證併在者、合其表裏爲一病而治之者、桂枝人參湯柴胡加桂枝湯之類是也、一則以明表裏俱熱而惡風者、但爲裏證而治之者、白虎加人參湯之類是也、此三途者施治之要詮也、不可不審辨矣、此章上承小柴胡之章、以分其派者也、其義言凡大陽病之諸證、至小柴胡湯之地位、而其證入腹部、以見大柴胡湯以下之諸證者有之、或遂入陽明者有之、此小柴胡湯之章、以至旋覆代赭石湯章之一派也、又凡大陽病諸證、或尚前於小柴胡湯之地位、直以其表證遂入上部者有之、或至小柴胡湯之地位、遂以其表熱直入少陽者有之、此章以下、至白虎湯章、此其一派也、故此章之病證大淺於小柴胡湯之地位、而其義則承小柴胡湯之章、以分其病所入之派也、而其病證則與上之生姜瀉心湯證相照者也、若其治法、則凡大陽病諸證、直入上部者、以仍帶表熱、治之者也、或其不見表證者、其治法猶尚以此意從事、是病入上部者之治法心訣也、云大陽病外證未除而數下之者、是明逆治也、言既有其外證者、當急攻而除之、而後病仍不盡者、乃始下之也、而今醫反下之、是失治法之甚者、云數下之者、是以其逆治為大甚之辭也、言已一下之不止、復再下之、復更三下之也、以言表熱之當攻者、反不攻之、而其裏之不當攻者、反數攻之、是失治法之甚也、**遂協熱而利**、協謂合而為一、相助以為隆者也、言表熱之當攻者、反不攻之、而其裏之不當下者、反數下之、以此之故、表熱則入其裏、而其裏則為虚、是以其表熱入裏、與裏虚合而為一病、相助以為其隆、以此之故、其熱益劇、而利又益甚、此謂協熱利也、**利下不止、心下痞鞕、**不云下利而云利下者、以明協熱利之狀也、云利下者、謂其利已無他狀、但洒洒然而下也、云不止者、以明致心下痞鞕之由也、言以利下久不止之故、遂致心下痞鞕也、此明與生姜瀉心湯之心下痞鞕、異其證也、彼生姜瀉心湯之證、先為心下痞鞕而後下利、是其病主心下痞鞕而下利者也、此桂枝

人參湯之證、以利下不止之故、遂致心下痞鞕、是其病主下利、而致心下痞鞕者也。表裏不

解者、桂枝人參湯主之

是明治法也、以言此病證、得之於表熱當攻而除之、而未攻而除之、而反數攻其裏而下之、表裏二證合而爲一病、相助扇以爲隆者也、若今以攻治之、則其病益急劇而不已、若以和解表裏治之、則其病證乃愈也、何則此病以表裏不得和解之故、致此急劇者也、桂枝人參湯主之、無復疑途也、是言大陽病淺證、外證仍在者、醫當攻其外證而除之、而反不爲攻而除之、若其裏則未可下之、而反數下之、是逆治也、以此之故、醫虛其裏、而表熱稍入、與裏虛相得、合而爲一病、相助扇以爲劇、表熱益隆、下利又益甚、雖然其利但洒洒然而下、無復他狀、而攻之不止、續致心下痞鞕者、是雖見心下痞鞕、非復他病、以利下不止之故、見此心下痞鞕耳、又其利但洒洒然而下、無復他狀、則雖熱益隆、利益甚、是亦非復他病、則協熱利之的候也、此病醫

未除其表證故表未和也醫又數下以虛其裏故裏未和也此兩不和者合而不能和解故姑為此急劇耳是其治法不宜攻之若攻之則益為其急劇故今將欲治之則其法當通其表裏而和解之諸證必脫然罷者也是不涉疑途而的然桂枝人參湯之所主也若大陽病淺證表熱已解先見心下痞鞕之證續致下利其下利不止者是胃中不和之所致也生姜瀉心湯主之也

桂枝人參湯方

桂枝四兩　甘艸四兩　白朮三兩

人參三兩　乾薑三兩

右五味以水九升先煮四味取五升內桂更煮取三升溫服一升日再夜一服

傷寒大下後復發汗心下痞惡寒者表未解也不可攻痞當先解表表解乃可攻痞解表宜桂枝湯攻痞宜大黃黃連瀉心湯

【補】此章云當先解表表解乃可攻痞解表宜桂枝湯攻痞宜大黃黃連瀉心湯者不知本編之治例也凡本編之例表邪入腹部者必先解表而後攻下之以表邪乘虛陷裏則益爲劇也承氣陷胸十棗湯證是也又表邪入胸脇心下而表仍未解者必併表裏而和解之以表裏猶爲一病也小柴胡柴胡加桂枝桂枝人參湯證是也若表既解則唯治裏證半夏生姜甘草三瀉心湯證是也今此證表證因誤下入裏而心下痞表仍未解者是表裏一病則法當從併治表裏之例也且誤下而作痞復用攻下者可謂霜上加雪也說見上

傷寒發熱汗出不解心中痞鞕嘔吐而下利者大柴胡湯主之補大柴胡湯證以熱結在裏而心下急爲主而此證則熱在心胸中者卽黄芩加半夏生姜湯之所主也

病如桂枝證頭不痛項不強寸脈微浮胸中痞鞕氣上衝咽喉不得息者此爲胸有寒也當吐之宜瓜蒂散補此證水飲上逆之所爲也故云胸有寒也寒者卽水寒之寒當微小青龍湯之例治以温發者也而今以吐方爲主者不知本編之例也

瓜蒂散方

瓜蒂一分　赤小豆一分

右二味各別搗篩爲散已合治之取一錢七以香豉一合用熱湯七合煮作稀糜去滓取汁和散溫頓服之不吐者少少加得快吐乃止諸亡血虛家不可與瓜蒂散

病脇下素有痞連在臍傍痛引少腹入陰筋者此名藏結死 補 此章無冒首不舉脈狀與治法皆非本編之例也

傷寒病若吐若下後 是舉似有表裏兩證者而其實但是裏證者以照前章表裏兩證併在者以辨其淺深劇易之不同以斷諸疑惑之證而審定白虎湯之本證也以明前章有表裏兩證者反是淺易而無復疑惑之證而此章似有表裏兩證而但是裏證者反是深劇太多疑

惑之證、而不可名狀、然以熱結在裏爲主求之、則諸疑惑之證、不足復辨也、云傷寒病者、以明此是傷寒本病、而其本病已多可疑惑者、或似大陽病深劇者、或似陽明病急劇者、然是傷寒的證、而無復可疑惑者、故云傷寒病也、云若吐若下後七八日不解者、若吐者、謂其病似大陽病深劇、而熱結在上者、故吐之也、而吐後不解、引至七八日、本證愈益急劇者、非復大陽病深劇而熱結在上者、是其熱結、別有所在也、若下者、謂其病似陽明病急劇、而熱結在下者、故下之也、而下後不解、引至七八日、本證愈益急劇者、非復陽明病急劇、而熱結在下者、是其熱結、別有所在者也、**七八日不解**、以明其地位已深、其證又急劇也、又以明是似壞病、而不可名狀者也、**熱結在裏**、是法語也、表裏倶熱者、總括其證、以辨別其熱結之異也、云熱結在裏者、猶云傷寒病若吐若下後七八日不解、是非他病熱結在裏故也、言本傷寒病既似大陽病深劇者、又似陽明病急劇者、又其熱結如在上部而吐之又其熱結如在下部而下之若吐若下七八日不解而急劇狀如壞病不可名狀其地位亦已在深處是非他病也熱結在裏之故致此種種之證也**表裏俱熱**是標異白虎湯之熱結也猶云是熱結在裏也而熱結在裏者之見其證亦非一也若表裏俱熱者是白虎加人參湯之證也言熱結在上者柴胡桂枝乾姜湯之證也若熱結在下者大柴胡湯之證也若熱結在內者承氣湯之證也若熱結在裏而其證表裏俱熱者是白虎加人參湯之證也**時**

時惡風大渴舌上乾燥而煩欲飲水數升者上云表裏俱熱者舉目也此云時時惡風大渴舌上乾燥而煩欲飲水數升者舉其詳也時時惡風是舉表熱也大渴舌上乾燥而煩欲飲水數升是舉裏熱也云時時惡風者是辨非其表不解者也若其表不解者其表必發熱而其熱無間斷其惡風亦常在者也而今此證表無大熱而有間斷時時惡風是

非其表不解者也云欲飲水數升者既是大渴又舌上乾燥而又心中煩故病人以爲得水數升飲之則當解其大渴又解其煩而又和其舌上乾燥者以得快意故欲飲水數升也

白虎加人參湯主之

言傷寒病既似大陽病深劇者又似陽明病急劇者又其熱結如在上部又其熱結如在下部若吐若下後七八日不解而急劇狀如壞病不可名狀其地位亦已在深處是其爲證雖則不可名狀然是非他病是熱結在裏之所致也不足多疑也但當就此熱結中以求表裏俱熱之證也若已求表裏俱熱之證而外得此時時惡風之證内得大渴舌上乾燥而煩欲飲水數升者則是的然白虎加人參湯之證也不復容疑惑故云白虎加人參湯主之也此章綜而言之本傷寒病其證似大陽病深劇者熱結在上胸脇滿微結小便不利而渴但頭汗出往來寒熱心煩者柴胡桂枝乾姜湯之所主也若熱結在下不大便五六日舌上乾燥而渴日晡所少有潮熱者大

柴胡湯之所主也、本傷寒病、其證似陽明病急劇者、咽乾口苦、腹滿而喘、不惡寒反惡熱、身重、手足漐漐汗出、譫語者、大承氣湯之所主也、本傷寒病其證似太陽病深劇者、又似陽明病急劇者、其熱結如在上部而吐之、又如在下部而下之、若吐若下後、七八日不解、而急劇、其狀如壞病、而不可名狀、又其地位已在深處、是於法爲熱結在裏也、當就其衆病之不可名狀者、以審識其熱結在裏之別也、若熱結在裏之所致、而其證表裏俱熱、其表熱則有間斷、時時惡風、其裏熱則大渴、舌上乾燥、而心煩、欲飲水數升者、雖復其衆證紛出、而不可名狀、皆不足容疑惑、非復他證、是白虎加人參湯之所主也、

白虎加人參湯方

白虎湯方中加人參二兩、水煮與本方同法

傷寒無大熱是擧白虎湯證内外之熱候上下之部淺深之地位以明白虎加人參湯之所主也前章既擧似表證仍在而又有裏證者而其實無表證始及於白虎湯之地位者以辨白虎湯之疑惑此章遂擧白虎湯之證内外熱候上下之部淺深之地位以明白虎湯的然之地位也云傷寒無大熱者大熱者謂翕翕發熱也無大熱者其表雖有熱熱之易者而非復表證翕翕發熱之熱也其熱之狀猶如身熱之易者也

口燥渴口中燥渴者口中燥乾又大渴也心煩背微惡寒者白虎加人參湯主之背微惡寒者其地位已在陰陽交也云傷寒無大熱口燥渴者言傷寒其表雖有熱而但似身熱之易者而無復表證翕翕發熱之狀若其裏熱之狀則其口乾燥又且大渴是其裏熱如熱者也是熱結在裏之候也又云口燥渴心煩者是上則有其口燥乾又且大渴之證下則有心煩之證合此二者觀之是其熱結所在上

下之部乃在心胸之内也又云心煩背微惡寒者是前則有心煩之證後則有微惡寒之證是其病淺深之地位在陰陽之交也此三者白虎加人參湯之證内外之熱候上下之部淺深之地位也凡爲醫者既已審辨此三者則白虎加人參湯之地位可得而一定而無復疑惑者故審得此三者則雖云餘證雜出而不足多疑也此章綜而論之傷寒無大熱口燥渴者是其表已解而裏熱已盛者也既口燥又渴而心煩者是熱結在心胸之内者也又心煩背微惡寒者是其病之地位既在陰陽之交也此三者白虎加人參湯表裏之熱候上下之部淺深之地位也苟審得此三者則腹滿而喘或身重或譫語或口苦或面垢而口不仁或遺尿小便不利或自汗出雖云衆證雜出如何疑惑者皆以一定而無顧慮是即白虎加人參湯之所主也

傷寒脈浮發熱無汗是擧傷寒有白虎湯之證而不可與白虎湯者與白虎湯

之證不具而當與白虎湯者以弘用白虎湯之道也傷寒不解而至七八日以上者是其地位已至白虎湯之地位者也然其脈浮其證發熱而無汗者是其無汗者以其表證急切之故使之無汗也其脈已浮其證又發熱如此者雖無惡寒而是與有惡寒者同一也何則脈浮發熱而無汗者是表證急切之候也惡寒亦是表證急切之候也故舉無汗而畧惡寒也又必以無汗言之者以照白虎湯證之有自汗者也**其表不解者**以明其他諸證口燥而渴心煩背微惡寒及時時惡風大渴舌上乾燥而煩欲飲水者是雖具白虎湯之證者而其表不解者不可與白虎湯也**不可與白虎湯**是必云與者與者權先與此湯而觀其後證如何之辭也是明其表已解者雖不悉具白虎湯之證而自汗出無表證權先與白虎湯以觀其後證如何也故云與以明其治法也**渴欲飲水無表證者白虎加人參湯主之**是明他諸

證雖不悉合白虎湯證而渴欲飲水又無脈浮發
熱無汗或惡寒之表證者是即的然白虎湯之證
無疑者也而有渴欲飲水之證是爲白虎加人參
湯之證無疑者也故云渴欲飲水無表證者白虎
加人參湯主之也此章言傷寒不解而至七八日
以上者是已在白虎湯之地位者也而其脈則浮
其證則發熱而無汗者即是無汗爲其表證急切
之候或但惡寒其表不解者雖悉具白虎湯證口
燥而渴心煩背惡寒者雖時時惡風大渴舌上乾
燥而煩者猶不可與白虎湯也是雖悉具白虎湯
證而其表證不解者是非白虎湯證當與其表藥
以解之不可與白虎湯也若傷寒七八日以上已
至白虎湯之地位其表已解無有脈浮發熱無汗
及其惡寒之證但身無大熱口燥或舌上乾燥心
煩或時時惡風或背微惡寒者雖不悉具白虎湯
證者是其於治法當權先與白虎湯以觀其後證
如何也若有此諸證雖不悉合白虎湯證而渴欲
飲水無脈浮發熱無汗及惡寒之表證者是的然

白虎湯之證無疑者也、而渴欲飲水、是白虎加人參湯之所主也、不須疑者也、

補　右正文四章、始一章、明大陽病協熱下利、表裏不解者、合而爲一病治之者也、第二章、明傷寒熱結在裏者、獨治其裏者也、第三章、擧雖背微惡寒、而裏證劇者、亦獨治其裏者、以益明白虎之證也、終章、擧雖有裏證、而其表不解者、當先治其表者、以明白虎之證、與始章表裏爲一病而治者大殊也

大陽少陽併病、心下鞕、頸項強而眩者、當刺大椎肺兪肝兪、愼勿下之、

補　是鍼家之說已、

大陽與少陽合病、

是擧大陽少陽俱病、而其地位同、又有大陽大表之證、而其實無大表證者、以明其下利與嘔異其治方者也、云大陽少陽合病者、發熱惡寒頭痛等之證、謂之大

陽也、口苦咽乾目眩等之證、謂之少陽也、是太陽之諸證、與少陽之諸證、同其地位而病、謂之合病也、合病者、謂其病證皆同其地位而混合也、若太陽少陽、二證各異其地位而病、謂之併病也、併病者、二陽各病也、是合病併病之別也、**自下利者**、是謂但有太陽少陽二證、而無他致下利之證、但以太陽少陽本證而下利者也、若有他證而下利者、是爲其病證而下利也、不得云自下利也、**與黃芩湯**、與者、謂先與此黃芩湯、以觀其後證如何之辯也、何則有餘證、足爲下利而下利者、當審其下利、以施其治方也、今太陽與少陽合病、其證悉具、而更有下利證、是太陽與少陽其病同其地位、而更下利也、是其下利太陽與少陽合病、其熱在心胸中、而不能攝其下、故致此下利、而又致其外證、有此外證、故不能去者也、故其治法、不治其大表、又不治其下利、而但治其熱在心胸中者、而其大表證、與其下利自治者也、**若嘔者、黃芩加半夏生薑**

湯主之、大陽與少陽合病者、其下利者、若有他證而下利、則當審其病證、以他藥治之、黃芩湯不中與之、此黃芩湯之疑途也、若大陽與少陽合病者、而有其嘔者、此不待疑者也、何則大陽與少陽之合病者、其氣當上逆者也、其有嘔者、固其所也、無可疑者、故云主之也、是言大陽與少陽合病者、已是發熱惡寒、或頭痛、又口苦咽乾目眩、而無他證、但自下利者、此熱在心胸中也、但治其熱、則下利及其他諸證、皆隨而治也、若更有他證、而致此下利、疑是其下利、是他證之所爲也、若大陽與少陽合病者、發熱惡寒、口苦咽乾目眩、又更有其嘔、是其爲大陽少陽之證無疑也、然但治其大陽與少陽合病之地位、則其嘔不可治也、故就其黃芩湯、又更加生薑半夏、以治其嘔、故云黃芩加半夏生薑湯主之也、

黃芩湯方

黄芩三兩　甘艸二兩　芍藥二兩　大棗十二枚

右四味、以水一斗、煮取三升、去滓、溫服一升、日再夜一服

黄芩加半夏生薑湯方

黄芩湯方中加半夏半升生薑三兩水煮與本方同法

傷寒、胸中有熱、是擧傷寒病之有日、而表證已解、内有陽虛、加之以胃中有邪氣者也、胸中有熱者、欲嘔吐之法語也、胃中有邪氣、是腹中痛之法語也、必以法語言之者、欲使學者想像其病之形狀也、是傷寒病之有日、表證已解、其内亦大半得和、而胃中獨有邪氣

之在者也其云胸中有熱者謂胸中溫溫悶悶是有熱之狀也而無有一處之別適指其病形所在者但擧一胸中覺其溫溫悶悶而已故云胸中有熱也云胃中有邪氣者胃中以和爲常而今一胃中以和爲體而邪氣客居其中也胃中有邪氣而腹中痛者其痛非刺痛又非漫痛其所痛之狀似拒痛而非拒痛者也欲明此腹中痛之形狀故以胃中有邪氣言之也上云胸中有熱胃中有邪氣而先言胸中而次言胃中者以其病形言之也以其病形言之則胸中熱狀其狀劇而似是主證胃中邪狀其狀易而似是傍證故言其病形則先胸中而後胃中也

腹中痛欲嘔吐者黃連湯主之

先云腹中而次言嘔吐以與上文相反者以明腹中痛是其主證而欲嘔吐是其傍證也是有胸中胃中之兩證者於法胃中爲主證而胸中爲傍證者也大抵其病有上下兩證者皆準此法而取之者也故兼擧胸中胃中之法語又擧腹中痛欲嘔吐之本證以明其

診病之法也、欲嘔吐者、謂胸中温温悶悶也、此章言傷寒病之有日、其表證已解、而其內亦大半得和、但胃中有邪氣、而致胸中有熱者、診其病狀、胸中有熱者、其形狀劇、而似是主證、胃中有邪氣者、其形狀易、而似是傍證、然胸中有熱、反是傍證、而胃中有邪氣、反是主證也、其腹中之痛、已非刺痛、又非漫痛、其痛狀似拒痛、而不可言拒痛、而又其胸中温温悶悶欲嘔吐、是內有陽虛、又加之以胃中有邪氣也、是當以腹中痛為主證、而以欲嘔吐者為傍證、而施其治法、而無疑惑、是的然黃連湯之所主也、不可疑惑其病形狀也、

黃連湯方

黃連三兩　甘艸三兩　乾薑三兩　桂枝三兩
人參二兩　半夏半升　大棗十二枚

右七味以水一斗、煮取六升、去滓、温服一升、日三服、夜二服、

傷寒八九日、是舉單表證入裏、身體疼煩、不能自轉側者、淺作大柴胡湯之證、淺作白虎湯之證者、與表裏雙證相搏、作桂枝附子湯之證者、以明其別也、又以明其用藥之法也、凡表證深入裏者、其用藥之法、必略其外、而主其裏、猶如柴胡加桂枝白虎加桂枝之類是也、又其表裏二證併在者、其用藥之法、略內而主外、猶如桂枝附子湯及桂枝附子去桂枝加白朮湯之類是也、

風濕相搏、是法語也、風謂表證也、濕謂其病不在裏之極深處、又未成寒者也、然風濕相搏、是未可執定者也、故必以身體疼煩不能自轉側、與脈浮虛而濇、以審定其風濕相搏之證也、

身體疼煩、不能自轉側、雖是明風濕雙證相搏、然而單表證入裏者、大柴胡

湯證或時有之、又白虎湯證或時有之、必得脈浮虛而濇者、然後知是風濕相搏者也、故身體疼煩、不能自轉側者、此風濕相搏之證也、**不嘔不渴**、但身體疼煩、不能自轉側者、或有大柴胡湯之證、或有白虎湯之證、故云不嘔、以明有大柴胡湯之證、又云不渴、以明有白虎湯之證也、但身體疼煩、不能自轉側者、必得脈浮虛而濇、然後審定是桂枝附子湯風濕雙證相搏也、故身體疼煩、不能自轉側而有其嘔者、是大柴胡湯之證也、身體疼煩、不能自轉側、而更有渴者、是白虎湯之證也、**脈浮虛而濇者、桂枝附子湯主之**其脈浮者、是有表證也、虛而濇者、裏亦有裏證也、是桂枝附子湯之所主也、桂枝附子湯、桂枝湯方中去芍藥加桂枝、又更加附子三枚者也、桂枝湯方中去芍藥加桂枝者、是主逐之於外、而不主和其下、故去芍藥也、更加桂枝者、是主和而達之於表、故更加桂枝也、凡用附子之法、就純陰正寒之證、則不過用附子一枚、是附子之本治也、其用附子、及二枚三枚者、非附子之本治、是其傍證也、故此章用附子三枚者、劇攻以逐之於外、故且亦此證非在其裏之極深處而成正寒者、故無害於劇攻、是以用附子太過耳、其他附子湯之證、此純陰正寒之證也、然其於少陰病、猶未致其劇深者也、故當劇攻以達之於外、故用附子二枚也、是加用桂枝附子之義也

若其人大便鞕、小便自利者、去桂枝加白朮湯主之

是身體疼煩、不能自轉側、而又更大便鞕、小便自利、其脈浮虛而濇者也、此猶為風濕相搏之證也、其診之法、先以大便鞕、小便自利者、引而合之於身體疼煩、不能自轉側之證、則此大便鞕、小便自利者、以風濕相搏之故、使其裏不和、而不疏通者也、故亦使身體疼煩、不能自轉側也、此證亦當和而疏通、以劇攻而逐之於表、故去桂枝加白朮也、去桂枝者、白朮既足以和之、故去桂枝單用白朮也、其云大便鞕小便自利者、是舉其裏不和而不疏

通者也、故雖大便利、小便不利者、亦同於此法也、

此章言傷寒八九日、身體疼煩、不能自轉側、其脈浮虛而濇者、此表裏雙證倂在者、而名風濕相搏者也、表證之風入裏、而與其舊在其裏之輕寒濕相搏、故使身體疼煩、不能自轉側也、桂枝附子湯主之、若其人身體疼煩、不能自轉側、又更大便鞕、小便自利、其脈浮虛而濇者、是亦風濕相搏者、而深前證一等者也、桂枝附子去桂枝加白朮湯主之也、若傷寒八九日、身體疼煩、不能自轉側者、嘔而或胸滿者、是非復風濕相搏者、是單表證入裏者也、大柴胡湯主之、若其人身體疼煩、不能自轉側、渴、其脈浮虛而滑者、是熱結在裏、白虎湯主之也、

桂枝附子湯方

桂枝四兩　附子三枚　生薑三兩　甘艸二兩

大棗十二枚

右五味以水六升煮取二升去滓分温三服

去桂枝加白朮湯方

桂枝附子湯方中去桂枝加白朮四兩水煮與本方同法

風濕相搏骨節煩疼掣痛不得屈伸近之則痛劇汗出短氣小便不利惡風不欲去衣或身微腫者甘艸附子湯主之【補】此章無冒首非正文然方證相對有益於治法也

甘艸附子湯方

甘艸二兩　附子二枚　白朮二兩　桂枝四兩

右四味以水六升煮取三升去滓溫服一升日三服初服得微汗則解能食汗止復煩者服五合恐一升多者宜服六七合爲妙

傷寒脈浮滑是擧陽熱已極而將成陰證者以明白虎湯之地位也凡白虎湯之地位在陰陽兩證之交者也陽熱既極而至陰分之地位者也凡其陽病陽證陽脈而其地位已至陰分者但此白虎湯脈浮滑之證耳故苟見此證脈則其爲證雖千殊萬異而皆不足以疑之也故此章但擧其脈以明其地位也當與厥陰篇白虎湯章併見而參考之也此章但云傷寒脈浮滑者是明

陽證陽脈、而其地位已至陰分者、但此白虎湯之證也、厥陰篇云脈滑而厥者、裏有熱也、而不云其浮者、以明此已至陰分之地位、而其脈猶滑者、此是非陰證、是陽熱既極、而至陰分之地位者也

表有熱裏有寒白虎湯主之

表、謂陽表也、裏、謂陰分之地位也、表有熱、謂猶有陽表之熱也、言其陽表雖不見大熱、而是陽表有熱者也、裏有寒、言雖不見陰分之證、而已至陰分之地位也、何以知之、以其脈浮滑也、故云浮者、以明陽證陽脈已至陰分之地位者、但此白虎湯證也、滑脈、是陽熱既極、而已至陰分地位之脈也、其義言傷寒脈浮滑者、不須診其證、此陽熱既極、而已至陰分之地位者、苟審此陽證陽脈、而至此地位、則其證雖云千殊萬異、不足以疑之、是的然白虎湯之證也、故云白虎湯主之也、又此章、受於大陽與少陽合病以下四章之後者、以明白虎湯之證或有其病在上、而其證在下者、或有其證在上在下者或有其證在表在裏者也、但無有

大表證耳此章綜而論之言傷寒脉浮滑者此陽證陽脉而已至陰分之地位者也其證或似大陽少陽合病下利而嘔脉浮滑者白虎湯主之也其證或腹中痛欲嘔吐其脉浮滑者白虎湯主之也其證或身體疼煩不能自轉側而渴其脉浮滑者白虎湯主之也其證或骨節疼痛而惡風脉浮滑者白虎湯主之其證或腹滿口不仁而面垢讝語遺尿自汗出或額上生汗手足逆冷脉浮滑者白虎湯主之其證或咽乾口苦腹滿而喘發熱汗出惡寒身重而渴脉浮滑者白虎湯主之也故診其脉浮滑以審其地位則其證雖云千殊萬異皆不足以疑之是白虎湯之所主也

右正文四章前二章一者明合病有下利與嘔者但治胸中也一者明傷寒解後有上下證者亦但治腹中也後二章一者明風濕相搏脉浮濇者治其表也一者明陽熱之極脉浮滑者治其裏也

右二節八章爲一段也。前一節始章、擧大陽病誤下心下痞鞕表裏不解者、以反照前三瀉心湯心下痞單裏證者也。次二章、擧傷寒雖似表不解而是單裏證者、亦照始章雙解表裏者也。終章、擧有表證者、以總照前三章之治法也。後一節、前二章、擧合病棄表裏而治其上者、與傷寒裏證治其下者、以照前節表裏之治法也。後二章、擧單表者與單裏者、亦照前二章之治法也。一段八章、悉備表裏上下之治法、而終章擧陽極之治法、以總結

大病篇者、所以示大陽病以陽熱爲本也。

白虎湯方

智母六兩　石膏一斤　甘艸二兩　粳米六合

右四味以水一斗、煮米熟湯成、去滓溫服一升、日

三服

傷寒脈結代心動悸炙甘艸湯主之【術】本編建中湯白虎湯四逆湯等章唯舉脈狀而不具論證候者以有所牽聯照應而得不盡之病情故也今此章突然出之既無所照應又不具論證候不可得而知病情也

炙甘艸湯方

甘艸四兩炙　生薑三兩　桂枝三兩

人參二兩　生地黃一斤　阿膠二兩

麥門冬半升　麻子仁半升　大棗三十枚

右九味以清酒七升水八升先煮八味取三升

去滓內膠烊消盡溫服一升日三服一名復脈湯

脈按之來緩而時一止復來者名曰結又脈來動而中止更來小數中有還者反動名曰結陰也脈來動而中止不能自還因而復動名曰代陰也得此脈者必難治 補 前章註混于本文者也

傷寒論特解卷之五

疝癥積聚編　大橋尚因先生著　全一冊

此書ハ疝積ノ痰ヒ諸病ニ於テ十ノ八九ニ居スルヿヲ發明シテ其名義ヲ正シ原因ヲ論シテ附スルニ藥方ヲ以テス亦タ一家ノ言ト謂ツベシ

黴瘡備考方　太田晋齋先生著　全三卷

此書ハ黴毒ノ治法ヲ詳明ニス諸家ノ純粹ヲ採摘シテ切實肝要ノ方法ノミヲ収録ス其他癰瘍ノ灸法ヲ論説シテ外科必用ノ書トス旁ラ吐法ヲ附録シテ又生々乳ノ製法ヲ詳細ニ記載ス

傷寒論特解　静齋先生著　淺野元甫先生補註　全六冊

此書ハ齋藤先生ノ著ス所ニメ一家ノ達見アリテ他ノ傷寒論ノ註書ニ異ナリ加ルニ養老先生ノ博覧ヲ以テコレガ補註ヲナセバ其論註卓然タリ世ノ傷寒ヲ療スル者必讀ノ奇書ナリ

宋版傷寒論　淺野元甫先生校正　全三冊

此書ハ旧刻ニ比スレバスベテ文字ノ訛誤ヲ訂正シ及ヒ諸書ニ對校シテ其佳ナル者ニ随ヒ疑似ノモノハ其舊ヲ存シテ一部ノ佳本トスルモノナリ

傷寒論正文　桃山先生校本　小本一冊

此書ハ傷寒論中後人ノ攙入スル所ノ文ヲ刪定シテ正文一百四十九章トシ古義ニ復スルモノナリ

物品識名　水谷先生著　小本二冊

此書ハ水火金石草木禽獸蟲魚等ニ至ルマデ其和名國字ヲ以テ分類シ直ニ其漢名ヲ知シム啻ニ本草家ノ用ノミナラズ或ハ其異稱別名ヲ附載シテ、多ク文藻ノ一助トス最モ漢名出處ノ書目モ一々附記ス

物品識名拾遺　水谷先生著　小本二冊

此書ハ前編ニ遺漏スルモノヲ採録ス

傷寒論特解
五

門
號 307
卷 5

傷寒論特解卷之六

大日本　安藝　靜齋齋先生　著
門人　尾張　淺野徽元甫　補註
弟子　富田肥大順　校正

陽明病篇

陽明病者、胃中之陽病病也、其爲病之本者、胃中有實物而爲之本、以見其諸證也、又其發病之時、以陽實之體見胃中不和之證者、亦謂之陽明病、然是非陽明病之正、是因陽明之建名、以附其同一地位之陽病耳、故陽明病之正者、斥胃中有實物者也、其名之陽明者、取之於其病證之形狀而名之也、陽也者、陽病也、明也者、隆赫之名也、凡陽病之形狀、本隆盛者也而今此病之形狀更加其隆赫故謂之陽明也又所以名之陽明者其所由來者凡三道一則分之於大陽病而出之者也一則對之大陰病而名之者也一則取此病證形狀之終始而名之者也何謂分之於大陽病而出之乎凡大陽病者主大表證而綜諸陽病者也故自風病水病濕病血病以至胃中熱實與胃中不和凡屬陽證者皆管之於大陽故大陽篇綜諸陽病者也而就諸陽病中取此胃中有實物而其病證形狀之隆赫者而出之更別名之陽明也言是其爲病於大陽陽病形狀之隆盛者更加之隆赫者也何謂對之於大陰而名之乎夫陽明大陰其病俱在胃中者而同其地位異其病本者也而陽明之病陽證隆赫者也大陰之病微寒客於陽實之體者此二者俱在胃中同其地位其病本相反者也俱是在胃中同其地位而其病本相反故以陽明大陰名之也

曰何謂也、亦分之於大陽之名而生此二名
也、夫大陽斥日之名也、大陰斥月之名也、而
陽明者、大陽之日而更加之隆赫者也、譬之
猶烈夏之炎日也、夫陽明大陰之在胃中、而
其病本相反也、陽明其病證之形狀隆赫、猶
烈夏炎日也、大陰其病本雖淺易、而有慘毒
之氣、譬之猶月下有冷陰之氣、故以大陰名
之者也、何謂取其病證形狀之始終而名之
乎、凡百陽病皆起於隆盛、而斃於靜衰者也、
唯此陽明病、獨始於隆赫、而斃於隆赫者也、
故名之云陽明也、曰本論之次篇、何以先陽
明病而後少陽病也、夫少陽病者、其病本仍
與大陽病同其類、而但變其見證者耳、是少
陽病爲大陽病中之一變證、而陽明病者、既
去大陽之部位、而轉入陽明之部位、其病本
已移、而其見證亦異、是陽明病與大陽病、別
各自一病也、然則次篇之序、當先少陽病而
次之以陽明病也、而今反先陽明病而後少

陽病者何也、曰凡人之發於病者、直以大陽病而發者、未之有也、唯大陽病之轉入陽明者、自陽入陽、遂以其陽而發者也、故凡大陽病之至於發者、大抵大陽病之極、一二轉而入少陰以發者有之、又以大陽病遂進一二轉而入厥陰以發者有之、又自大陽病轉入少陽而又一再轉而入少陰厥陰以發者有之、皆不發大陽少陽、而發於少陰厥陰者也、唯大陽病之入陽明獨發於陽病者也、故大陽篇之後、承之以陽明病者、以結起於陽病發於陽病者、故陽明篇爲大陽病之一結也、故大陽篇後承以陽明篇也、其大陽病之不入陽明而直入少陰厥陰者、及入少陽者皆以一再轉之後、始至於發、是與大陽病入陽明直以陽病而發於陽病者不同、故陽明篇後承以少陽篇以明凡大陽病之至於發者已至大小柴胡湯之地位、又至白虎湯之地位、一再轉然後去大陽之部而入少陰以

弊文入厥陰以弊故少陽篇承
大陽陽明後所以明此義也

問曰病有大陽陽明有正陽陽明有少陽陽明何謂也答曰大陽陽明者脾約是也正陽陽明者胃家實是也少陽陽明者發汗利小便已胃中燥煩實大便難是也

補 本編設三陽三陰者所以明萬病之地位而建治法之規則也故大陽病皆論之於大陽部陽明病皆論之於陽明部少陽病皆論之於少陽部其於三陰皆然其法嚴正緻密無有出入是則陰陽表裏之大本也此道明而後可言治法也而今云大陽陽明正陽陽明少陽陽明者非嘗不知本編之例違道之大者也且以問答建論者非本編之例也 ○

燥煩實千金翼作燥實

陽明之爲病胃家實也　胃家之家、後人之所攙入者也、凡稱胃家脾家濕家之類、皆非漢時之語、皆晉以下之言也、故本篇當云陽明之爲病胃實也、而但云胃實則不便於誦讀、故後人加之、以家字、以便於誦讀也、云陽明之爲病胃家實也者、是陽明篇之總目章也、以明陽明病之大本不出胃實也、何則陽明病之凡、固非一途、有初陽明、有後陽明、有漸陽明、有正陽明、有疑陽明、有變陽明、傍陽明也、總擧其病本、則有四道、一曰胃中不和、二曰胃氣不通、三曰胃家實、四曰傍陽明瘀實也、而胃氣不通與胃實、猶是一途也、但以其劇易分其名耳、其傍陽明瘀實病、但以類附之也、然則陽明之本病、則唯胃中不和與胃實之二道耳、何謂初陽明也、陽明單病之發病、及大陽陽明合病之發病、自桂枝湯證、以至葛根麻黃二陽之證、皆胃中不和之淺易者也、故今分之爲初陽明也、何謂後陽明也、或是大陽病之後、或是傷寒病之後、表熱已解、獨見胃中不和之證者、如大陽篇中所擧生姜瀉心甘草瀉心理中及旋覆代赭石湯之證此名爲後陽明也何謂漸陽明也大陽篇中所擧胃氣不和及胃氣不通調胃承氣小承氣之所主者是也此將漸成胃家實者故分之名爲漸陽明也何謂正陽明也此即本篇所擧胃家實之正證大承氣湯之所主者也陽明病脈遲及傷寒若吐若下後不解證皆是也是陽明篇之主證也故以正陽明名之也何謂疑陽明也此胃實病之疑證錯出而難審識者也本篇所擧三陽合病及二陽併病證皆是也故今分而名之爲疑陽明也何謂變陽明也是陽明病而其見證於少陰證者也少陰篇所擧大承氣湯及豬苓湯之所主是也此二者皆陽明病胃實與水氣也而見少陰證故名之爲變陽明也何謂傍陽明也本篇所擧巵子豉吳茱萸茵蔯蒿湯之證是也是皆非胃實病但瘀實在胃中之證者其以瘀實與胃實相類之故附之於本篇也已非陽明胃實之證故別名之爲傍陽明也凡此上數名之者綜而合

之則不過三道初陽明後陽明是爲一道而皆胃中不和之證也其漸陽明正陽明變陽明疑陽明是爲一道皆胃實病也傍陽明是爲一道卽瘀實病也而此瘀實病非爲陽明病之本證故名爲傍陽明也其陽明本病二道之中初陽明後陽明漸陽明本經皆出之於大陽篇中皆未至於實故也其變陽明之證出之於少陰篇以重少陰證之故也獨正陽明疑陽明出之於本篇欲使後審識本病之故也故云陽明之爲病胃家實也者其義有二道也其一道則含其衆類而拔其一特者之辭也其一道則擧其病本以概其衆證之辭也何謂含其衆類而拔其一特者乎曰凡陽明病其初陽明及後陽明及其漸陽明此陽明衆類證皆屬之於大陽病篇而獨拔此胃家實別自爲一大陽病名也故云陽明之爲病胃家實也者其猶云陽明衆類之證皆屬之於大陽病中而今此擧陽明病以爲一大陽病名特胃家實耳其他衆類之證不與及也曰此何義也曰作者之本意則曰凡診病者

審識別陰病陽病、則診病之能事悉盡於此也、苟審識別是爲陽病、是爲陰病、則其治法之大數出明也、其他諸證者皆其中之小岐路也、雖有出入不足以爲深患、故本論凡其陽病皆屬之於大陽凡其純陰病、皆屬之於少陰篇、此即爲學者立其大數者、使其知其大途之別也、故大陽病篇擧初陽明後陽明漸陽明之諸證、又擧少陽病者、是以凡百陽病、皆屬之於大陽篇也、是欲使學者知三陽皆爲一陽病故也、又陽病而見少陰證、皆屬之於大陽病篇、而於少陰篇、特擧純陰證、是欲使學者知陰病之大歸故也、故作者之本意在審識別陰病陽病二途、故陽病皆屬之大陽、而純陰病皆屬之於少陰也、然則作者之本意審識別陽病陰病二途、則其要皆在於大陽少陰二篇也、而今於大陽陽病證、特拔胃家實之證、標爲陽明病者其病獨緩易、則學者但知是爲陽病而可也、若此胃家實、一證、則其病太劇急者也、是於陽病中、學者當審識別其病者、故特標以示其義也、是其一義也何謂舉病本以概其衆多之證乎曰傷寒論之例其於六部總目之章皆舉其一定之諸證與其脈狀以明其病所在之地位必使人先知其病所在之地位以正之於其方藥而識別其治法無出於其樊籬之內也是六部總目章之常例也而今於此陽明病篇則獨不然置其所見之諸證而不論著之於總目章上獨舉其病本胃家實是與他部總目章之例相反也何則其所見諸證是其病本之所爲也而胃家實其病本而所見諸證之本因也是於例當以法語論之者也譬如乾噫食臭脇下有水氣腹中雷鳴下利者此爲胃中不和是也是胃中不和即法語也以此所見之諸證之故即知是胃中不和也以此胃中不和之故見此諸證也是傷寒論診病之定法也而今獨舉此胃家實之法語而不舉其所見之諸證者何也曰陽明胃家實之爲病其所見之證變化多端不可以一途期之故獨舉其病本之胃家實以概畧其所見之諸證也其意猶云胃家實之爲病雖諸證雜出

疑途已多、而學者苟審識是胃家有實、則不復疑於諸證雜出、斷然以法治之可也、故作撫畧之辭、云陽明之為病胃家實也、以明其義、是其一義也、

問曰、何緣得陽明病、答曰、大陽病若發汗若下、若利小便、此亡津液、胃中乾燥、因轉屬陽明、不更衣內實大便難者、此名陽明也、補本編云陽明為病胃家實也者、毒熱充實於胃中、而其證大劇者也、而此章所舉者、汗下後、諸證去、而唯胃中津夜乾燥、大便難之證、與本編所謂陽明病相去天淵也、凡篇中以津液乾燥之證、為陽明病者、皆出於後人者也

問曰、陽明病外證云何、答曰、身熱汗自出、不惡

寒反惡熱也

問曰病有得之一日不發熱而惡寒者何也答曰雖得之一日惡寒將自罷即自汗出而惡熱也

問曰惡寒何故自罷答曰陽明居中主土也萬物所歸無所復傳始雖惡寒二日自止此爲陽明病也【補】本編之例以胃實爲陽明病而無以外證稱陽明病者也右三章所說者素問傳經之說非本編之義也

本太陽病初得病時發其汗汗先出不徹因轉

屬陽明也。補 大陽病汗出不徹者、變證多端、未必轉屬陽明、不可以爲規則也、

傷寒發熱無汗、嘔不能食、而反汗出濈濈然者、是轉屬陽明也。補 本編之例、以汗出與汗多、未以爲陽明之證也、故云雖汗出、不惡寒者、其身必重、短氣腹滿而喘、有潮熱者、此外欲解也、又云、若汗多、微發熱惡寒者、外未解也、是汗出、與汗多、並未爲陽明之證也、又云手足濈然而汗出者、大便已鞕也、大承氣湯主之、是云手足濈然汗出者、則餘所無汗可知也、由此觀之、此章云汗出濈濈然者、是轉屬陽明也者、及篇中以汗自出爲陽明病、又云陽明病法多汗者、與本編爲矛楯也、學者察焉、且本編大陽波及陽明之證、皆論之於大陽部、胃實純證論之於陽明部、而無設轉屬轉繫之名、篇中云轉屬轉繫者、皆出於後人者也

傷寒三日、陽明脈大、補 本編之例、陽明之脈遲或微也、此章之義傳經之說已、

傷寒脈浮而緩、手足自溫者、是爲繫在大陰、大陰者身當發黃、若小便自利者、不能發黃、至七八日大便鞕者、爲陽明病也、補 大陰病者、胃中寒冷之證、發黃者胃中瘀熱之證、相反如氷炭也、且大便鞕之一證、安爲陽明病乎、

傷寒轉繫陽明者、其人濈然微汗出也、補 此章說見上、

陽明中風、口苦咽乾、腹滿微喘、發熱惡寒、脈浮而緊、若下之、則腹滿小便難也、補 中風者、其證淺易、在於大陽

大表之名也、故大陽部之外、無有其證也、此章云陽明中風、及少陽大陰少陰厥陰稱中風者、皆不知本編之例也、且此章口苦咽乾者、陽明瘀實證也、腹滿微喘者、陽明胃實證也、發熱惡寒脈浮而緊者、大陽傷寒也、而今稱之爲中風者、不知本編病道之例也、

陽明病、若能食名中風、不能食名中寒、補傷寒者、卽中寒也、故本編無中寒之名也、況有陽明之中寒中風乎、且後世所謂中寒者、卽本編之少陰病也、中風說見于上、

陽明病、若中寒不能食、小便不利、手足濈然汗出、此欲作固瘕、必大便初鞕後溏、所以然者、以胃中冷、水穀不分故也

陽明病、初欲食、小便反不利、大便自調、其人骨節疼、翕翕如有熱狀、奄然發狂、濈然汗出而解者、此水不勝穀氣、與汗共併、脈緊則愈、

陽明病欲解時、從申至戌上、

陽明病、不能食、攻其熱必噦、所以然者、胃中虛冷故也、以其人本虛、攻其熱必噦、

陽明病、脈遲、食難用飽、飽則微煩頭眩、必小便難、此欲作穀癉、雖下之、腹滿如故、所以然者、脈遲故也、

補 右五章、第一章第五章、以胃中虛冷、而水穀不分離所致也、第四章、唯胃中

虛冷者、其地位皆屬胃、故爲陽明病、然是本編所謂大陰病、而非陽明病也、第二章、大陽病水氣證、第三章、五行生旺之説、皆非本編之例也、

陽明病、法多汗、反無汗、其身如蟲行皮中狀者、此以久虛故也、補 陽明病、則胃實證、豈有以久虛證爲陽明病乎、

陽明病、反無汗、而小便利、二三日嘔而咳、手足厥者、必苦頭痛、若不咳不嘔、手足不厥者、頭不痛、

陽明病、但頭眩、不惡寒、故能食而咳、其人必咽痛、若不咳者、咽不痛、補 右二章、非陽明病、且論證不具、不足取、

陽明病無汗小便不利心中懊憹者身必發黃

陽明病被火額上微汗出而小便不利者必發黃【補】右二章議論膚淺不足取

陽明病脈浮而緊者必潮熱發作有時但浮者必盜汗出【補】此章以脈斷證非本編之義也

陽明病口燥但欲漱水不欲嚥者此必衄【補】不論已病而卜未病非本編之例也

陽明病本自汗出醫更重發汗病已差尚微煩不了了者此大便必鞕故也以亡津液胃中乾

燥故、令大便鞕、當問其小便日幾行、若本小便日三四行、今日再行、故知大便不久出、今爲小便數少、以津液當還入胃中、故知不久必大便也、補 此章、卑雜冗長、且以津液乾燥大便鞕爲陽明病者、非本編之例也、其說見于上、

傷寒嘔多、雖有陽明證、不可攻之、

陽明病、心下鞕滿者、不可攻之、攻之利遂不止者死、利止者愈、補 右二章、嘔多者、心下痞鞕者、俱大陽病而非陽明病也、

陽明病、面合赤色、不可攻之、必發熱色黃小便不利也、補 合者逼也、面合猶逼面也、是以逼面赤色爲表證、故云不可攻也、然論證不

具、不足取、

陽明病不吐不下心煩者、與調胃承氣湯補陽明病固無吐下、而今不論本證、因心煩一證、遽用調胃承氣湯者、可謂鹵莽矣、

陽明病是舉大陽病傷寒、既服麻黃大小青龍湯等、而後遂入陽明大承氣湯之證者、及裏至小柴胡湯之地位、而不之大柴胡白虎湯之證、遂為陽明大承氣之證者也、**脈遲、**云脈遲者、以分之於浮數緊滑之為大陽脈、以明陽明之脈狀也、**雖汗出不惡寒者、**汗出者、仍是為大陽證、而非陽明病之所有者、故云汗出者、以明小柴胡湯之地位以下、及於大柴胡白虎湯之地位者也、小柴胡湯以下及於大柴胡白虎湯之地位者、其證多有汗出而惡寒者、故舉汗出、以明其地位也、又云不惡寒者、以明自麻黃大小青龍湯之證、而遂入陽明證也、何則主惡寒者、

大陽大表之候也、汗出者、大陽間位以內之候也、非復桂枝諸方汗出之證也、作者之本意、欲以汗出、明其地位也、欲以不惡寒者、明非大陽證、故云汗出不惡寒、以明其入陽明、雖有先後遲速、而其地位則一也、云陽明病者、其脈與證、皆爲陽明證故也、脈遲身重短氣、及脈遲腹滿而喘、此二者、已入陽明之候也、故雖汗仍出者、而不惡寒者、斷然命之云陽明病也、**其身必重、短氣腹滿而喘、**云必者、十中期七八之辭也、故云其、又云必、以明自大陽而入陽明、其初候十中八九必自身重短氣喘起也、其他十中二三、直以腹滿而喘起也、言大陽病其脈變遲、雖汗出、不惡寒者、若見身重短氣之二證、則雖不見其他陽明證、而學者須識是已入陽明也、何則凡大陽之變而入陽明者、其證大抵十中八九、自身重短氣喘起者之故也、若自腹滿而喘起者、既是陽明本證也、不須疑矣、故先云身重短氣、而後云腹滿、而喘也、故大陽病、雖汗出不惡寒、其人身重短氣、而其脈遲者、雖不見他陽明證、而學者斷然以爲陽明病、與調胃承氣湯而可也、又大陽病雖汗出而已不惡寒、其腹滿而喘、其脈遲者、固當與調胃承氣湯、以通其胃氣也、**有潮熱者、此外欲解、**謂汗出是爲外證也、欲解者、言今有潮熱、故此汗出之外證當自解也、言此其外證已解、則此汗出之證、亦當自解也、而外不解者、以裏有陽明證之故、其證欲解而不解也、**可攻裏也、**言是雖有汗出表證、非復表證也、何則既無惡寒、又有潮熱故也、將當斷然攻其裏、是定法也、不須復疑矣、故云可攻裏也者、拔疑之辭也、此用拔疑之辭也、以明上之汗出身重短氣者、及其腹滿而喘者、雖於法當與調胃承氣湯、而仍有汗出之表證、而陽明之證猶未太甚、則當審其證而處其方也、故此用拔疑之辭也、故云有潮熱者、此外欲解、可攻裏者、其義言、大陽病雖汗出不惡寒、身重短氣、其脈遲者、及雖汗出不惡寒、腹滿而喘、其脈遲者、此雖於法當斷然與調胃承氣湯、而有汗出之表證、而陽明之證、猶未太甚、則學者當審其證、以處其方、若汗出、不惡寒、身重短氣、其脈遲、又有潮熱者、是陽明之證悉具、雖仍有汗出之表證、而非復表證、則當斷然攻其裏、小承氣湯主之也、若其汗出不惡寒腹滿而喘、脈遲、又有潮熱、亦同上法、復小承氣湯主之也、何則調胃承氣湯但通胃氣者也、小承氣湯、和胃氣、者也、大承氣湯下胃實者、故也、

手足濈然而汗出者、餘處無汗、但手足濈然而汗出者也、**此大便已鞕也、**此者指手足濈然而汗出者也、手足濈然汗出者、是大便鞕之驗候、故云此、又云也、又云已、以明其義也、云大便已鞕者、言其大便之鞕、雖未見其形驗、而是已鞕者也、不可復疑矣、正當斷然與大承氣湯也、

大承氣湯主之、言太陽病汗出不惡寒、其人身重短氣脈遲者、是已入陽明者也、此證而又有潮熱者、是入陽明而將成其實者也、而其後又更加手足濈然而汗出之證者、是陽明證之劇者、而

大便已鞕也，固當斷然與大承氣湯而勿疑之也，又大陽病汗出而不惡寒，腹滿而喘，其脈遲者，是已入陽明者也，此證而又有潮熱者，是入陽明而將成其實者也，然後又更加手足濈然而汗出之證者，是陽明之劇者，而大便已鞕也，固當斷然與大承氣湯，而勿疑之也。**若汗多微發熱惡寒者，外未解也。**是特舉其汗出多者也，其云微發熱惡寒者，假舉以示其有表證也，言其人雖身重短氣或腹滿其脈遲者，而其汗出太多，則未可遽斷為陽明證，誠恐仍伏藏其表證也，然而但其汗出太多，而別無他證，則未可遽斷，以為有表證，又未可遽斷以為陽明全證，故此汗出太多者，學者當審諦其微，以斷其表裏也，若汗出太多，而微見表證之徵驗，則是外未解也，不必發熱惡寒，故云微發熱惡寒，以示其義也，何況有發熱惡寒者乎，其為外不解斷然也，**其熱不潮，未可與承氣湯。**汗出太多，微有表證之徵驗者，若汗出多，微發熱惡寒、雖表證之徵驗已除、雖已不惡寒、而其汗續出太多、而其表熱仍在、則其裏雖有身重短氣腹滿而喘之陽明證、然而是外仍有表證者也、猶未可與三承氣湯、以攻其裏也、必須其表熱變爲潮熱、然後始可與三承氣湯、以攻其裏也。

若腹大滿不通者、

以腹大滿之故、胃氣不通行者也。

可與小承氣湯微和胃氣、

是舉權時之法、故云可與也、是權時之法、而觀其後之辭也、觀其後者、時亦有與大承氣湯之法也、微和胃氣者、謂微微和胃氣使之足以通行也、

勿令大泄下。

勿者誡辭也、是既有表證仍在、若令大泄下、則恐遂虛其內、使表熱內攻、是可爲大誡、故云勿令大泄下也、若腹大滿不通、可與小承氣湯微和胃氣、勿令大泄下也、言陽明病、汗出多、微發熱惡寒、或微有表證之徵驗、而身重短氣、其脈遲者、若腹大滿而胃氣不通行者、是外有表證、而內有陽明證者也、於法當先與解表之劑、然今腹大滿、而胃氣不通行

者、則雖與解表之劑、而其藥亦不得通行、而不爲其用、故當以權時之法、以與小承氣湯、微微和其胃氣、使之足通行也、若與小承氣湯、而胃氣不和、不得其通行、則可權與大承氣湯、以一下之、愼誡勿令大泄下、若令大泄下、則恐遂虛其內、而使表熱內攻、故其治法、當以權時之法、先與大小承氣湯、微和胃氣、使之足通行、然後却用其本方解表之劑、其表已解、然後又却攻其裏之陽明證、大承氣湯主之也、若其汗出太多、微發熱惡寒、或微有表證之徵驗、腹滿而喘、其脈遲、若腹大滿而胃氣不通行者、其治法又亦同於上也、此章綜而論之、本太陽病、今雖汗出、不惡寒、其人身重短氣、脈又變遲者、斷然是陽明病也、當與調胃承氣湯、以觀其變也、若與調胃承氣湯、微有惡寒、及有他表證之徵驗者、觀之於汗出之證、以知其仍有表證、當却解其表證、而後治其裏之陽明證也、又大陽病雖汗出、不惡寒、腹滿而喘、其脈變遲者、是斷然陽明病也、若微有惡寒及微他表證之徵驗、其治法亦同於上也、若此汗出身重短氣、其脈遲者、及汗出、腹滿而喘、其脈遲者、此兩道之證、而有潮熱者、雖有汗出之表證、而是其表證已解者也、但內有陽明證之故、汗出之表證、欲解而不能解者也、當斷然以攻其裏之陽明證、其表證自解、小承氣湯主之也、若汗出身重短氣、有潮熱、其脈遲者、手足濈然汗出、則是雖不見大便之鞕、而是大便已鞕者也、大便已鞕者、大承氣湯之所主也、若汗出腹滿而喘、有潮熱、其脈遲者、手足濈然汗出、則是亦大便已鞕者、大承氣湯主之也、若汗出身重短氣、其脈遲者、及汗出、腹滿而喘、其脈遲者、此兩道之證、而其汗出太多、則誠恐仍伏藏其表證、學者當詳其徵證、以辨明其表裏之別也、若微有表證之徵驗、則觀之於汗出太多者、以知是外仍有表證、而內亦有陽明證也、若微發熱惡寒者、其發熱惡寒、雖復微微者、而觀之於汗出太多、則是外有表證、而內亦有陽明證也、於法、當先解其表、而後攻其陽明證也、若惡寒已去、表證之徵驗已除、而其汗仍太多表熱仍在則亦猶爲有表證其表熱不變爲潮熱則未可與三承氣湯當先解其表證也然而其腹大滿而胃氣不通行者雖與解表之劑而不能爲其用諸如此者當以權時之法與小承氣湯微微和胃氣使之足通行也若與小承氣湯而胃氣仍不和而不足爲通行則更與大承氣湯也然而微和胃氣使之足爲通行則止愼誡勿令大泄下誡恐遂虛其裏使之表熱內攻是學者之當知

者也

大承氣湯方

大黃四兩　厚朴半斤　枳實五枚　芒硝三合

右四味以水一斗先煮二物取五升去滓內大黃更煮取二升去滓內芒硝更上微火一兩沸分溫

再服得下餘勿服

小承氣湯方

大黃四兩　厚朴二兩　枳實三枚

已上三味以水四升煮取一升二合去滓分溫二服初服湯當更衣不爾者盡飲之若更衣者勿服之

補　上章得下以下此章初服以下皆後人之所加當刪去也

陽明病潮熱大便微鞕者可與大承氣湯不鞕者不與之若不大便六七日恐有燥屎欲知之法少與小承氣湯湯入腹中轉失氣者此有燥

屎乃可攻之、若不轉失氣者、此初頭鞕、後必溏、不可攻之、攻之必脹滿、不能食也、欲飲水者、與水則噦、其後發熱者、必大便復鞕而少也、以小承氣湯和之、不轉失氣者、慎不可攻也、補審諦大便鞕、而用大承氣湯之法、本編具論、為千古之規則、無可以加焉、此章所論、回顧摸索、其害大者也、說見于下、

夫實則讝語、虛則鄭聲、鄭聲重語也、補重者、重澀也、口舌重澀、而語無清氣也、乃知讝語者、語言清爽也、雖出於後人、可為視診之法也、

直視讝語、喘滿者死、下利者亦死、

發汗多若重發汗者亡其陽讝語脈短者死脈自和者不死。補右二章其義膚淺不足取

傷寒若吐若下後不解是擧陽明胃實極劇之證以明大承氣湯極深之地位也不大便五六日是擧二因也其一則言傷寒吐後不解不大便五六日者也其一則言傷寒下後不解不大便五六日者也必言吐後不解者言其表熱仍熾而其裏已虛故其表熱入裏極劇之因也其云下後不解者其義亦同也云不大便五六日亦為陽明證擧其大證因也上至十餘日言於其五六日則絕不大便而却推其前七八日雖則大便利而其大便利不是足云大便利者其必當有實者也是亦為陽明證擧其一大因也日晡所發潮熱不惡寒獨語如見鬼狀言但日晡所發潮熱耳仍有表證之微候則未

為陽明全證必須不惡寒然後為陽明全證也而加之以獨語如見鬼狀之證是的然陽明確證也獨語者即讝語之變者也況如見鬼狀者是胃中有事之候無所容其疑也是大承氣湯之所主也

若劇者發則不識人此義有二焉一者以明上所云之獨語如見鬼狀者既是不識人之證然詰之則其正神依然者也一明此病發作有時若劇則不識人醒則俄然復其正神也

循衣摸牀惕而不安微喘直視是當云發則惕而不安微喘直視循衣摸牀也何則循衣摸牀與直視俱是為其類候也今不然以惕而不安之一句厝之於循衣摸牀微喘直視之中間者欲以明發則惕而不安微喘直視者有之又發則惕而不安循衣摸牀者有之也惕而不安即怵惕煩躁也

脈弦者生獨語如見鬼狀發則惕而不安循衣摸牀者及獨語如見鬼狀發則惕而不安微喘直視者此兩途之證而其脈弦者生也何則其脈弦者於

法、其內有所急緊之脈也、又其內有所急緊而發驚證之脈也、今以此獨語如見鬼狀、惕而不安者、觀之於弦脈、則知內有胃實、又內有所急緊、而外發此驚狂之證者也、當與大承氣湯、以觀其後證、而後解其驚狂之證、故云脈弦者生也、是無他故、但內有胃實、又有所急緊者、而不見其內虛故也、是仍爲實病、故下之則生也、**濇者死**、凡濇脈者、內已極虛之脈也、獨語如見鬼狀、發則惕而不安、猶衣摸牀者、及獨語如見鬼狀、發則惕而不安、微喘直視者、此兩途之證、而其脈濇者、是其內已極虛、而又有內實之劇證、然其所病者、即大承氣的證也、今若與大承氣湯、以攻其內實、則是以虛加於其虛者、其斃可立而俟也、若不與大承氣湯而攻內實、則亦爲此內實之劇證可斃、故曰濇者死也、**微者但發熱讝語者、大承氣湯主之、若一服利則止後服、**是猶云微者大承氣湯主之、但發熱讝語者、大承氣湯主之也、云微者、此脈微者、非復少陰之微脈也、但以胃氣不通行之故、使其脈微微者耳、何以知之、若少陰之微脈、則其證必深靜者也、而今其證暴劇、故知此脈微者是陽明內實、胃氣不通行之所為也、獨語如見鬼狀、發則惕而不安、微喘直視者、及獨語如見鬼狀、發則惕而不安、循衣摸牀者、此兩道之證、而其脈微者、是陽明內實、胃氣不通行之所為也、非內有少陰證者、故與大承氣湯、以下其內實、則其脈出而其證必解也、云但發熱讝語者、大承氣湯主之、者、傷寒吐後不解、不大便五六日、但發熱不惡寒、讝語者、及其劇者、發則不識人、惕而不安、循衣摸牀者、及發則不識人、惕而不安、微喘直視者、此三途之證、而其脈微者、亦大承氣湯之所主也、傷寒下後不解、不大便五六日、但發熱不惡寒、讝語者、及其劇者、發則不識人、惕而不安、循衣摸牀者、及發則不識人、惕而不安、微喘直視者、此三途之證、而其脈微者、亦大承氣湯之所主也、傷寒過經十餘日、不大便五六日、上至十餘日、但發熱不惡寒、譫語者、及其劇者、發則不識人、惕而不安、循衣摸牀者、及發則不識人、惕而不安、微喘直視者、此三途之證、而其脉微者、亦大承氣湯之所主也、若此九途之證、而其脉弦者、非復此例也、當以權時之法治之、以觀其後證耳、若其濇者、皆不可救者也

此章綜而論之、言傷寒吐後不解、不大便五六日、日晡所發潮熱、不惡寒、獨語如見鬼狀、發作有時者、大承氣湯之所主也、若其劇者、發則不識人、惕而不安、循衣摸牀者、及發則不識人、惕而不安、微喘直視者、此兩途之證、而其脉弦者、此內有陽明胃實之證、又其內有所急緊、而發驚狂者也、先與大承氣湯、然後觀其後證、以處其方者也、若其脉濇者、此其內已極虛、而又有陽明胃實之劇證者也、以其內極虛之故、不可與大承氣湯而下之、然舍而不下、則為胃實可斃也、若與大承氣湯、則是以虛加其極虛、其斃亦可立而俟也、若其脉微者、是非少陰證之微脉、但以其胃實劇之故、使胃氣不通行、故見此微脉、見此微脉、適足以徵其胃實、

大承氣湯主之也傷寒下後不解不大便五六日日晡所發潮熱不惡寒獨語如見鬼狀發作有時者大承氣湯之所主也若其劇者發則不識人惕而不安循衣摸牀者及發則不識人惕而不安微喘直視者此兩途之證而其脈弦者先與大承氣湯然後觀其後證以處其方也若其脈濇者是不可救者也然其證即大承氣湯之證也與大承氣湯亦死不與亦死始與大承氣湯可也若其脈微者是的然陽明胃實之劇證也大承氣湯主之不容疑者也傷寒過經不大便五六日上至十餘日日晡所發潮熱不惡寒獨語如見鬼狀發作有時者大承氣湯之所主也若其劇者發則不識人惕而不安循衣摸牀者及發則不識人惕而不安微喘直視此兩途之證而其脈弦者先與大承氣湯然後觀其後證也若其脈濇者是不可救者也始與大承氣湯可也若其脈微者是的然陽明胃實之劇證也大承氣湯主之不容疑者也傷寒吐下後不解不大便五六日或已過經不大便五六日

上至十餘日、仍雖發熱、而不惡寒、讝語、其脈微者、是亦的然陽明胃實之劇證也、以其脈微、故知之、大承氣湯主之也、若其劇者、發作有時、發則不識人、惕而不安、微喘直視者、此兩途之證、而其脈弦者、是亦的然陽明胃實之劇證、大承氣湯主之、不容疑者也、○若一服利則止後服八字、後人之所加、當刪去也、

補右二章、始一章、擧陽明病正脈正證、以明用大承氣湯之正法也、後一章、擧陽明病吐下後極劇證、以明審識三等之脈狀、而後用大承氣湯之法也、

陽明病、其人多汗、以津液外出、胃中燥、大便必鞕、鞕則讝語、小承氣湯主之、若一服讝語止、更莫復服、補此章、津液枯燥、大便鞕證、而非本編所謂陽明病也、且讝語本編以爲胃氣

不和之候不足以徵大便硬也

陽明病讝語發潮熱脈滑而疾者小承氣湯主之因與承氣湯一升腹中轉氣者更服一升若不轉氣勿更與之明日又不大便脈反微澀者裏虛也爲難治不可更與承氣湯也

補　陽明病之本脈遲也滑者卽白虎湯之脈也今讝語發潮熱者未具腹大滿不通等證則非小承氣湯之全證也而與之摸索明日遂至脈微澀而難治是其人爲誤逆死昭昭豈有醫聖而慘酷如此哉又且筆之爲治法使後人傚顰流毒於千歲其謂之何

陽明病讝語有潮熱反不能食者胃中必有燥

屎五六枚也若能食者但鞕耳宜大承氣湯下之補此章譫語潮熱同前章而以不能食爲燥屎之候用大承氣湯者粗漏甚矣

陽明病下血譫語者此爲熱入血室但頭汗出者刺期門隨其實而瀉之濈然汗出則愈補是鍼家之說非本編之義也

汗出譫語者以有燥屎在胃中此爲風須下之過經乃可下之下之若早語言必亂以表虛裏實故也下之則愈宜大承氣湯補此章無冐首突然云汗出譫語又以汗出譫語徵燥屎又云此爲風須下之又云過經乃可下之而不舉其證又以汗出爲

表虛、皆非本編之義也、

傷寒四五日、脈沈而喘滿、沈爲在裏、而反發其汗、津液越出、大便爲難、表虛裏實、久則譫語、

補 脈沈而喘滿者、陽明證既見一斑者也、而反發汗則以火救火者、其變何啻津液越出、大便爲難乎、且以陽明證之汗、爲表虛、陰陽且不分、何論其餘、

三陽合病 是舉三陽合病、其證之本因、不可適定者、以明其治法先後之序也、云三陽合病者、三陽、謂大陽陽明少陽也、凡以合病言之者、其所見其證者、皆同其地位、而其病之所主在者、混然同合而不可適定者也、

腹滿身重、難以轉側、口不仁而面垢、譫語遺尿、 三陽之合病、其於大陽之證者、仍有發熱惡寒、既有發熱惡寒、而又有腹

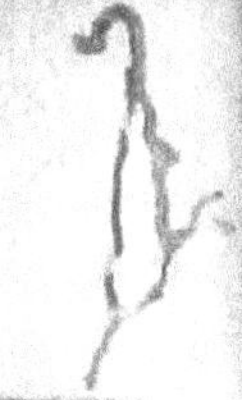

滿身重、難以轉側、而面垢之證者、是於法、爲大陽之病、而其熱在表、亦在裏、而瘀鬱者也、仍有大陽發熱惡寒之證、而有遺尿、此必非陽虛之證、必是邪熱盛於內、而正氣不能攝其內、故使之遺尿也、若以口不仁、而面垢、而又加之以遺尿言之、則是爲病入少陽、而陽虛在上、不能攝其下、故使之遺尿也、若以腹滿身重爲主、而又加之讝語、則是陽明胃實之證也、是三陽之證、混然同合、而同其地位、其病之所主在者、不可適定也、若以柴胡加龍骨牡蠣湯等攻之、則是遺發熱惡寒之表證、與口不仁而面垢遺尿之在上之證、若以柴胡薑桂湯等攻之、則是遺發熱惡寒之表證、與腹滿身重讝語之在下之證也、若以白虎湯與之、則是遺發熱惡寒之表證也、然則將如之何、曰是於治法、當分內外者也、其治外者宜麻黃湯、其治內者宜大承氣湯也、云腹滿身重、難以轉側者、是舉在腹部者也、是有二疑途、仍有發熱惡寒、而腹滿身重、難以轉側、則疑表熱入裏而伏之者也、又腹滿身重、難

以轉側、而更有讝語、則疑陽明胃實之證也、云口不仁、而面垢者、是擧在胸部者也、然云口不仁而面垢、必云而以隔之者、面垢之證、有二疑途故也、腹滿身重、難以轉側者、已伏熱之所為、則此面垢之證、亦疑是同其證因、是其一疑途、又有口不仁之證、是其病在上部之候也、今加之以面垢之證、則疑其證因亦在上部、是其二疑途也、其下始云讝語遺尿者、以此讝語合之於上腹滿身重難以轉側者、以明有陽明疑證也、其云遺尿者、以遺尿合之於上口不仁而面垢者、以明有少陽疑證也、既是口不仁而面垢、又更有此遺尿、是的然陽虛在上之候也、而未敢斷然以陽虛從事、而猶視以為邪氣盛於內、而正氣不能攝之所致者、仍有發熱惡寒大表之證故也、

發汗則讝語、

則者兩岐之辭也、既以治法分治內外、若其表熱入裏之盛、而胃中之證、則以發其汗之故、其始讝語者、今彌益加其劇、然則不可得終極其發汗、姑遺其治、而先治其胃實也、若無陽虛之證、但

是表熱與胃實之所爲則其病乃愈也下之則額將明此義故云則以用兩途之辭也

上生汗手足逆冷

又用兩途之辭者言已發其汗則譫語彌益劇也以其譫語彌益劇之故見以爲陽明胃實證而大承氣湯下之也然今譫語不止而額上生汗手足逆冷也是今纔下之而見此變證益其譫語不止則是不可得終極其下者也是始以腹滿身重譫語以爲陽明胃實者是誤也腹滿身重難以轉側譫語又有發熱惡寒是外有表證而內有瘀鬱之熱也又始以口不仁而面垢遺尿以爲非陽虛之證此亦誤也故今以大承氣湯下之而額上生汗手足逆冷也額上生汗者是外有表證而內有瘀鬱之熱今下之則額上生汗手足逆冷此外仍有表證內有熱厥白虎加桂枝湯之所主也而復下之使虛其內故額上生汗也手足逆冷者此始有陽虛在上而不能攝其下而今下之以加其虛是以手足逆冷也如此而仍有發熱惡寒是表裏皆有其證白虎

加桂枝湯所主也、是內有白虎之證、而外有表證發熱惡寒故也、若自汗出者、白虎湯主之、是明無發熱惡寒之表證者也、於此言之者、一以受之於上、額上生汗者、一以受之於上、腹滿身重、難以轉側、口不仁、而面垢讝語遺尿也、其義言、三陽合病、發熱、時時惡寒、而腹滿身重、難以轉側、口不仁、而面垢讝語遺尿者、自汗出者、雖云時時惡寒、而不復常有惡寒者、又加以自汗、是無表證也、白虎湯主之、又三陽合病、腹滿身重、難以轉側、口不仁、而面垢讝語遺尿、而又有發熱惡寒之表證者、今已發汗、又復下之、額上生汗、手足逆冷、發熱惡寒已止、而自汗出者、白虎湯主之、此章之義、綜而論之、三陽合病、發熱惡寒、腹滿身重、難以轉側、口不仁、而面垢讝語遺尿者、其發熱仍在、而其惡寒時有時無、又自汗出者、是表熱入裏而結、陽虛在上者、白虎湯主之也、又三陽合病、發熱惡寒、腹滿身重、難以轉側、口不仁、而面垢讝語遺尿、是外有表證、上有少陽證、內有陽明證者也、曰不仁而面垢、加之以遺尿、雖復似陽虛在上者、仍是發熱惡寒、則於法未可為陽虛也、是其治法當須內外分治者也、發汗宜麻黃湯、下之宜大承氣湯、然而其表熱入裏之劇者、麻黃湯以發其汗、則諸證不解、而其讝語愈益劇者也、若然者、姑置其發汗、而大承氣湯以下之也、若陽明證之所致者、則諸證於此皆解也、若此讝語非陽明證之所致者、而表熱入裏、陽虛在上之所為者、而今以大承氣下之、則額上生汗、手足逆冷、是外仍有表證、內有熱厥、白虎加桂枝湯之所主也、若發熱仍在、而惡寒時有時無、又自汗出者、是但有裏證而無表證、白虎湯主之也、

二陽併病、是舉大陽陽明一時俱病、而其病各別、而大陽淺陽明深者也、云二陽併病者、二陽謂大陽陽明也、併病謂大陽陽明其病各別、而不同地位者也、此二陽併病、以照上文之三陽合病、使人辨別合病與併病、故此舉二陽併病也、此二陽併病、其證必是發熱惡寒、腹滿身重、讝語

遺尿、而無少陽證者也、是何以知二陽併病、而非二陽合病乎、曰發熱惡寒、而無少陽證者、是大陽之證淺也、故不見少陽證也、腹滿身重、讝語遺尿、是陽明之證大深也、故知是二陽併病、而其病各別、非復二湯合病也、以不見少陽證之故知之也、既是二陽併病、而發熱惡寒、腹滿身重、讝語遺尿、則於法、當先治大陽、而後治陽明、

大陽證罷、但發潮熱、手足漐漐汗出、言既治大陽證、而發熱惡寒皆罷、前此之時、未有潮熱者與湯之後、不見餘證、今但發潮熱、而又手足漐漐汗出也、故云但發而明其義也、

大便難而讝語者、謂前此之時、大便已難、而又讝語者、故云而、以明其義也、

下之則愈、既是大陽與陽明併病、則其大陽證、無所干涉於陽明者也、而今大陽證罷、但陽明證、則是無所可疑者、故決然下之則愈、若猶畏懦而不能下之、則其病不愈也、故云則以明其義也、是明決然與大

承氣湯而無所可疑也宜大承氣湯是姑與大承氣湯以觀後變之辭也此句之義與上句大反者言二陽併病發熱惡寒腹滿身重讝語遺尿者今但其發熱惡寒罷餘證仍如前今又發潮熱手足漐漐汗出大便難而讝語者或恐是二陽併病之變證故姑與大承氣湯以觀其後證變然後決然用大承氣湯故用上下相反之辭以明其義也此章之義綜而論之言二陽併病發熱惡寒腹滿身重讝語遺尿而無少陽證者是大陽證淺而陽明證太深也故知是為併病而其病各別也於法當先治大陽證而後治陽明證既治大陽證而但發熱惡寒罷餘證仍如前今但發潮熱手足漐漐汗出前此之時大便已難而又讝語者是為其陽明證無所可疑者決然下之則愈若猶畏懦不能下之則其病不愈也大承氣湯主之也是二陽併病而大陽之證無所干涉於陽明證故也然此二陽併病發熱惡寒腹滿身重讝語遺尿者既治大陽證而但其發熱惡寒罷餘證如前

則雖云發潮熱手足漐漐汗出大便難而讝語而猶或恐二陽合病之變證故姑與大承氣湯以觀其後變也若與湯之後無有後變則遂決然用大承氣湯也

陽明病脈浮而緊咽燥口苦腹滿而喘發熱汗出不惡寒反惡熱身重

是擧陽明中三病自作合病者又辨大陽深病白虎湯之證與陽明水氣併病者也此脈浮而緊咽燥口苦腹滿而喘發熱汗出不惡寒反惡熱身重者似是大陽陽明合病者而此章首必決然謂之陽明病者何也曰咽燥腹滿而喘發熱汗出不惡寒身重者是陽明胃實之證也不惡寒反惡熱身重口苦者是陽明瘀實之證也然則其脈浮而緊者但似陽明邪脈然其脈緊者是陽明瘀實之變脈而其脈浮者亦是陽明水氣之正也然則是陽明中之三病自作合病者故決然冠之以陽明病也咽燥口苦腹滿而喘若以順言之則當云口苦咽燥腹

滿而喘何則口苦者似是脈浮而緊者之所爲者也而今以咽燥冠之者是以口苦爲陽明癓實之變證也又惡熱身重者當云身重腹滿而喘而今必云惡熱身重者是以身重近於惡熱以爲陽明癓實之所爲也夫咽燥口苦腹滿而喘發熱汗出不惡寒反惡熱身重者謂之陽明證則的然無所疑者然而其脈浮而緊者謂之陽明脈則未安也故又疑大陽深病白虎之證與陽明水氣併病者也然而亦不可決然從之也何則咽燥腹滿而喘發熱汗出不惡寒身重者將謂之陽明胃實之證則未具讝語之證未可與承氣湯也不惡寒反惡熱身重口苦其脈緊者將謂之陽明癓實之證則未具心中懊憹舌上胎者未可與梔子豉湯又其脈浮而雜見陽明諸證者將謂之陽明水氣之證則未具渴而欲飲水小便不利之證未可與猪苓湯又脈浮而緊咽燥口苦腹滿而喘發熱汗出不惡寒反惡熱身重者將謂之大陽深病白虎之證與陽明水氣併病者則未具渴而欲飲水口乾

舌燥之證、未可與白虎加人參湯也、而又未具小便不利之證、則未可與豬苓湯也、然則此其治法將如之何、曰是其治法、以權宜從事、以觀後證何如也、以權宜從事、將先與何湯也、曰權其脈證、此咽燥口苦、腹滿而喘、發熱汗出、不惡寒反惡熱、身重者、凡此衆證、謂之陽明、則無可疑者、但其脈浮而緊者、屬之陽明、則未安也、然而汗出不惡寒、則其浮亦非大陽之浮脈、當是陽明水氣之浮脈也、而緊亦當是陽明瘀實之變脈也、然則此其治法、當從事其衆證、而姑遺其脈之不安者、先治陽明胃實之證、以視其後證也、是其治法也、

若發汗則躁心憒憒反讝語

是舉陽明胃實及陽明瘀實合病者、因其誤治、以始見其本證者也、言是其爲病、雖云脈浮而緊、而汗出不惡寒、則非復表證之浮脈也、而醫見其脈浮、以爲仍有表證、以發其汗、則必亡津液而躁、又犯瘀實之證、使之心中憒憒、又犯其胃實、使之讝語也、是誤治也、然則是其治法、當先少與承氣湯、

以觀其後證也、云反譫語者、以明此譫語是陽明胃實之譫語、而非熱結之譫語也、今發其汗者、是解熱之法、而反譫語、是非熱結之所爲、而陽明胃實之所爲也、故曰反也、**若加溫鍼必怵惕煩躁不得眠、**是舉大陽深病白虎之證與陽明水氣之證、併病者、因其誤治、以見本證者也、言是其爲病、雖脈浮而緊、汗出不惡寒、而觀之於咽燥口苦、腹滿而喘、惡熱身重之諸證、則非復邪在間位者也、而醫見其脈浮而緊、汗出不惡寒、以爲邪在間位、以溫鍼刧之、是誤也、必搖動大陽深病白虎之熱與陽明水氣之證、使之怵惕煩躁不得眠也、非獨加溫鍼、若發汗則怵惕煩躁不得眠者、若少與承氣湯、而其後證怵惕煩躁不得眠者、是非承氣梔子豉湯之證、而必白虎猪苓湯證之所伏也、當須認此勿令誤也、**若下之則胃中空虛客氣動膈心中懊憹舌上胎者梔子豉湯主之、**則者、兩岐之辭

也是必云則而用兩岐之辭者陽明胃實之證則
雖頗具其證而猶未可的然一決於陽明胃實之
證或恐是大陽深病白虎湯證之所爲也又疑伏
陽明水氣之證也故先少與承氣湯下之以視其
後證也故用兩岐之辭也言脈浮而緊咽燥口苦
腹滿而喘發熱汗出不惡寒反惡熱身重者醫誤
發其汗則亡津液而躁心中憒憒反譫語是以誤
治之故頗見陽明胃實與瘀實之本證也於此二
證瘀實未具其證而胃實頗具其證也故今隨其
見證以先治陽明胃實之證也然未可的然一決
於陽明胃實之證或恐大陽深病白虎湯證之所
爲也故先與承氣湯少下之以視其後證也若與
承氣湯少下之而胃中空虛客氣動膈心中懊憹
舌上胎者是陽明胃實與陽明瘀實併病者也非
復白虎證之所爲者也仍與承氣湯後以梔子豉
湯主之也若與承氣湯下之而渴欲飲水口乾舌
燥者非復陽明胃實之證是大陽深病白虎湯證
白虎加人參湯主之也若已與大承氣湯下之後

以梔子豉湯主之然後諸證仍未去而其脈但浮發熱渴欲飲水小便不利者以有陽明水氣之證之故諸證不得去當以猪苓湯主之也

若渴欲飲水口乾舌燥者白虎加人參湯主之若脈浮發熱渴欲飲水小便不利者猪苓湯主之

此二證俱冠云若者一則受上之若下之之言也一則受上之若加温鍼必怵惕煩躁不得眠之語也其受上之若下之之言者已詳解於上故不復贅於此也其受上之若加温鍼必怵惕煩躁不得眠之語者言脈浮而緊咽燥口苦腹滿而喘發熱汗出不惡寒反惡熱身重者若太陽深病白虎湯之證與陽明水氣證併病而其證伏者而醫見以爲其病在間位而加温鍼以刼之則必怵惕煩躁不得眠也若怵惕煩躁不得眠渴欲飲水口乾舌燥者白虎加人參湯主之已服白虎加人參湯脈緊已去但浮諸證仍未解而發熱渴欲飲水小便不利者是以內

有陽明水氣證之故諸證不能去也猪苓湯主之
此章綜而論之言陽明病脈浮而緊咽燥口苦腹
滿而喘發熱汗出不惡寒反惡熱身重者是其治
法以權宜從事先與承氣湯少下之以觀其後證
如何也已與承氣湯下之諸證仍未解心中懊憹
舌上胎者是陽明瘀實之證梔子豉湯主之也已
服梔子豉湯脈緊已去脈但浮諸證未解發熱渴
欲飲水小便不利者是以內有陽明水氣證之故
諸證不得去猪苓湯主之也若以權宜之法從事
先與承氣湯下之諸證不解更加渴欲飲水口乾
舌燥之證者非復陽明胃實瘀實之證是大陽深
病白虎加人參湯之所主也已服白虎加人參湯
脈緊已去其脈但浮諸證仍未解而更發熱渴欲
飲水小便不利者是內有陽明水氣證也猪苓湯
主之也又脈浮而緊咽燥口苦腹滿而喘發熱汗
出不惡寒反惡熱身重者醫誤以為其病仍在表
以發其汗則必亡津液而躁心中憒憒反譫語也
是以其發汗犯陽明胃實瘀實之證故也然而猶

恐是大陽深病白虎湯證之所為也然是於治法當先與承氣下之若已以承氣湯下之諸證仍未解而胃中空虚客氣動膈心中懊憹舌上胎者是陽明瘀實之證梔子豉湯主之也已服梔子豉湯脈緊已去其脈但浮而更發熱渴欲飲水小便不利者是有陽明水氣證之故也猪苓湯主之也若與承氣湯下之諸證不解而更加渴欲飲水口乾舌燥之證非復陽明胃實瘀實之證是大陽深病而白虎加人參湯之所主也已服白虎加人參湯脈緊已去其脈但浮而更發熱渴欲飲水小便不利者是以有陽明水氣證之故也猪苓湯主之也又脈浮而緊咽燥口苦腹滿而喘發熱汗出不惡寒反惡熱身重者醫誤以為其病在間位加溫鍼而刼之則必怵惕煩躁不得眠也是大陽深病白虎湯之證與陽明水氣證併病之伏者而溫鍼以刼之犯此二證故使之然也若怵惕煩燥不得眠而諸證不解更加渇欲飲水口乾舌燥之證者白虎加人參湯主之也已服白虎加人參湯脈緊已

去、其脈但浮、諸證仍未解、而更發熱、渴欲飲水、小便不利者、是以有陽明水氣證之故也、猪苓湯主之也、

猪苓湯方

猪苓　茯苓　阿膠

滑石　澤瀉各一兩

右五味以水四升先煮四味取二升去滓內阿膠烊消温服七合日三服

陽明病汗出多而渴者不可與猪苓湯以汗多胃中燥猪苓湯復利其小便故也【補】凡用方劑之道在審識

立方之主意、而當之於本證、能如此、雖有傍證、無所顧慮也、若方證不對、則凡百方皆有害、何唯猪苓湯乎、

脈浮而遲、表熱裏寒、下利清穀、四逆湯主之、【補】下利清穀、裏寒外熱、少陰之劇證、通脈四逆湯之所主也、本編具論焉、

若胃中虛冷、不能食者、飲水則噦、【補】是大陰病而非陽明病也

脈浮發熱、口乾鼻燥、能食者則衄、【補】論證不具、不足取、

陽明病下之、是舉陽明胃實病、其中伏瘀實之證、而未見其證、既下之之後、始發見其證者也、以明陽明胃實病、其中伏大陽深證、而未見其證、既下之之後、始發見其證者也、云陽明病下

之者、其義有二焉、一者、以明見梔子豉湯證之因也、一者、以明有大陽深證之疑途也、其外有熱必云其外有熱者、以其外有熱、以明其內宜無有病也、言陽明病而下之、則其內宜無有病、而今其外有熱、則是其外有熱者、疑是大陽深證之所為也、手足溫不結胸是明大陽深證大陷胸湯、及白虎湯之疑途也、又以辨大陷胸湯梔子豉湯與白虎湯之地位之別也、白虎湯之證手足當冷、而大陷胸湯梔子豉湯之證、其手足溫也、心中懊憹饑不能食必舉饑不能食者、是為梔子豉湯辨其病之所在、且以辨大陷胸湯及白虎湯之別也、凡白虎湯之證、其病必在胃中及心中者也、大陷胸湯之證、其病本必在胃中、而上見證於心下心中者也、梔子豉湯之證、其病本雖伏在胃中、而以胃中空虛為因、而及其發見其證、則其病皆在心中、而胃中則無事、故其證必饑不能食也、其於大陷胸湯白虎湯之證、但當不能食、而無有饑者也、但

頭汗出者、梔子豉湯主之

頭汗出者、陽明瘀實之所爲也、以明大陽深證大陷胸湯之證、亦有汗出者、然不結胸、而頭汗出者、則梔子豉湯之證也、此章之義、綜而論之、言陽明病、胃實之證、既與承氣湯下之、則其裏宜無有病、而今下之之後、其外有熱、疑是大陽深證、伏在其内、而今始發見其證者也、若其外有熱、手足温、心下硬痛、心中懊憹、但頭汗出者、此爲結胸、大陽深證之頗易者、大陷胸湯主之也、若其外有熱、手足冷、心中懊憹、渴欲飲水、自汗出者、是大陽深證之已劇者、白虎湯主之也、若既下之之後、其外有熱、手足温、不結胸、心中懊憹、饑不能食、但頭汗出者、是陽明瘀實之所爲也、非復大陽深證、而其地位與大陷胸湯同者、而梔子豉湯之所主也、

陽明病、發潮熱、

是擧陽明病大承氣湯證、以爲其本病、而後致胸脇滿、小便不利者、以明其治法有前後也、是陽明病、不悪寒、脈遲、身重短氣、或腹滿而喘、發潮熱者、遂續致胸脇滿、小

便不利也是胸脇滿小便不利雖爲小柴胡湯之證而此胸脇滿小便不利大承氣湯胃實之所致而非復小柴胡湯之證也故先與大承氣湯治之既與大承氣湯而胸脇滿不去然後始與小柴胡湯主之也若先胸脇滿小便不利而後見陽明證者是爲有表證必往來寒熱先與小柴胡湯然後與大承氣湯也是治法前後之別也云陽明病發潮熱者謂陽明病諸證已具但未潮熱者今又發其潮熱無復疑惑的然胃實證而與大承氣湯下之也陽明病諸證謂本不惡寒脉遲身重短氣腹滿而喘者也發者有須而決疑之辭也

大便溏以明與大承氣湯後胃實證皆已去也

小便自可言此胸脇滿小便不利是小柴胡湯之證也故此小便不利非大承氣湯之所能治者然推其病之所因者本以大承氣湯胃實證爲因致此小便不利者故與大承氣湯胃實證已去則此小便不利不藥自可也故凡爲醫者不可謬以此小便自可爲大承氣湯之所治遂用大

承氣湯以去其胸胸滿、是誤治也。云胸脇滿不去者、與小柴胡湯。自可者、以明非大承氣湯之所治也。謂與大承氣湯、而胸脇滿不去者也。言此胸脇滿、小便不利、雖為胃實之所致者、而其病本為在上、而其病所在之地位已在上、則不復大承氣湯之所治者。故其小便自可者、適自然耳。故此胸脇滿不去者、亦非大承氣湯所能治者、當與小柴胡湯主之也。此章綜而論之、言陽明病、不惡寒、身重短氣、或腹滿而喘、然後始發潮熱、續而胸脇滿、小便不利者、是以大承氣湯胃實之證、為其病本、而致小柴胡湯證胸脇滿小便不利者也。故此其治法、當先與大承氣湯而下之也。已與大承氣湯而下之、胃實諸證已去、而大便溏、是大承氣湯之所能治也。以其地位當故。若其小便不利、今得其可者、是非大承氣湯之所能治者。但以其胃實諸證去之故、小便自可也。醫見與大承氣湯、而小便已可、以為此胸脇滿、亦胃實之所致者、則亦當遂用大承氣湯、而胸脇滿、自去是謂治也何則小便不利其證本在下故胃實已去則小便自可也若其胸脇滿其地位已在上非復大承氣湯之所主者小柴胡湯主之也若陽明病先見胸脇滿小便不利然後見身重短氣腹滿而喘發潮熱是爲有表證也是其治法當先與小柴胡湯而後與大承氣湯是治法先後之別也

○靜齊先生之註解止於此章自此而後正文僞章俱徽之所註故僞章之註首不冠補字也

陽明病脇下鞕滿不大便而嘔舌上白胎者可與小柴胡湯上焦得通津液得下胃氣因和身濈然汗出而解也

此章非陽明病當論之於大陽部也且上焦得通以下註釋文非本編之體也

陽明中風脈弦浮大而短氣腹都滿脇下及心

痛、又按之氣不通、鼻乾不得汗、嗜臥、一身及目悉黃、小便難、有潮熱、時時噦、耳前後腫、刺之小差、外不解、病過十日、脈續浮者、與小柴胡湯、脈但浮無餘證者、與麻黃湯、若不尿、腹滿加噦者不治、云陽明中風者、非本編之例也、其說見上、且議論冗雜無統理也、

陽明病、自汗出、若發汗、小便自利者、此為津液內竭、雖硬不可攻之、當須自欲大便、宜蜜煎導而通之、若土瓜根及大猪膽汁、皆可為導、此章之義、諸證去後、但津液枯竭、大便硬者、及婦人產後老人津液枯燥、大便難之類、宜蜜煎為導之證

也、與本編所謂陽明病、殊不同也、

蜜煎導方

食蜜七合一味、於銅器内微火煎之、當須凝如飴狀、攪之勿令焦著、欲可丸、併手捻作挺、令頭鋭、大如指、長二寸許、當熱時急作、冷則硬、以内穀道中、以手急抱、欲大便時乃去之、

○又大猪膽一枚、瀉汁、和少許法醋、以灌穀道中、如一食頃、當大便出、千金翼欲可丸作候可丸、

陽明病、脈遲、汗出多、微惡寒者、表未解也、可發

汗宜桂枝湯　此章、截採本編中者、寸錦片玉、不當用也、

陽明病脈浮無汗而喘者發汗則愈宜麻黄湯

此章、大陽陽明合病、大陽篇已具論、

陽明病　是擧陽明瘀實而發黄者也、此證雖非陽明胃實之本證、然以瘀熱實於胃中、故爲陽明病也、發熱汗出者此爲熱越不能發黄也　瘀熱在胃中而鬱蒸則發黄也、今發熱汗出、則瘀熱發越、是以不能發黄也、但頭汗出身無汗劑頸而還　是擧茵蔯蒿湯之本因也、言所以發黄者、無他故也、但頭汗出、劑頸而還、身無汗、是以胃中之瘀熱、鬱蒸而發黄也、頭汗有四證、而本證各不同也、頭汗出、而心下鞕滿而痛者、大陷胸湯之證也、頭汗出而有往來寒熱者、柴胡桂枝乾薑湯之證也、頭汗出、而心中懊憹、饑不能食、

或舌上胎者梔子豉湯之證也此則頭汗出小便不利渴引水漿或口苦咽乾者也然而至其傍證則不可期也學者須審識本證也

小便不利渴引水漿者 是亦發黃之一因也瘀熱在裏與水相搏而為小便不利且為渴也而與五苓散及猪苓散證有疑途也其五苓散證者發汗後小便不利微熱消渴或汗出而渴是表水上逆也猪苓湯證小便不利渴欲飲水或下利嘔渴是裏水上逆也

此為瘀熱在裏 是法語也此句當在發黃之下而插於此者以言瘀熱在裏而發黃者茵蔯蒿湯主之又雖不發黃而瘀熱在裏者亦茵蔯蒿湯主之也

身必發黃 必者十中期七八之辭也

茵蔯蒿湯主之 言陽明病瘀熱在裏者發熱汗出則瘀熱發越而不能發黃也但頭汗出身無汗劑頸而還小便不利渴引水漿者是瘀熱與水搏結鬱蒸而十中七八必發黃也茵蔯蒿湯主之也又陽明病但頭汗出身無汗劑頸而還小便

不利、渴引水漿、十中二三、雖不發黃、是亦瘀熱在裏者也、茵蔯蒿湯主之也、

茵蔯蒿湯方

茵蔯蒿六兩　梔子十四枚　大黃二兩

右三味、以水一斗二升、先煮茵蔯減六升、內二味、煮取三升去滓、分三服、小便當利、尿如皂莢汁狀、色正赤、一宿腹減、黃從小便去也

陽明證其人喜忘者、必有畜血、所以然者、本有久瘀血、故令喜忘、屎雖鞕、大便反易、其色必黑者、宜抵當湯下之、此章、諸證皆去後、其人全然復古、唯喜忘之一證、則與本

編所謂陽明病大逕庭者也

陽明病下之心中懊憹而煩胃中有燥屎者可攻腹微滿初頭鞕後必溏不可攻之若有燥屎者宜大承氣湯下之心中懊憹而煩者梔子豉湯證也以此為燥屎之候者未聞之又云若有燥屎者宜大承氣湯而無證候之可據也杜撰已

病人不大便五六日繞臍痛煩躁發作有時者此有燥屎故使不大便也此章不舉冒首與方藥非本編之例然其證有據可為視診之助也

病人煩熱汗出則解又如瘧狀日晡所發熱者

屬陽明也。脈實者，宜下之。脈浮虛者，宜發汗。下之與大承氣湯，發汗宜桂枝湯。日晡發熱而脈實者，固非大承氣湯證。證同脈浮虛者，亦非桂枝湯證也。桂枝湯之脈浮弱，未聞浮虛也。大承氣湯之熱潮熱，未聞發熱也。

大下之後，六七日不大便，煩不解，腹滿痛者，此有燥屎也。所以然者，本有宿食故也。宜大承氣湯。

病人小便不利，大便乍難乍易，時有微熱，喘冒不能臥者，有燥屎也。宜大承氣湯。右二章膚淺，不足取也。

食穀欲嘔者屬陽明也吳茱萸湯主之此章本與茵蔯蒿湯章爲一章爲茵蔯蒿湯擧疑途者也後人不辨攙入上之六章於其中也茵蔯蒿湯證瘀熱在裏者吳茱萸湯證久寒在胃者也食穀欲嘔者是久寒在胃而不安穀也瘀熱在裏與久寒在胃雖其因則異也然以其地位則同在陽明部之故云屬陽明也言陽明病發黃證頭汗出小便不利渴引水漿者是瘀熱在裏者茵蔯蒿湯主之又發黃證食穀欲嘔者是久寒在胃而不安穀者此爲穀疸也非復瘀熱在胃者也吳茱萸湯主之也

得湯反劇者屬上焦也食穀欲嘔者與吳茱萸湯反其證增劇者非復久寒在胃者是瘀熱在上部者也故云屬上焦也屬上焦也者照上梔子豉湯證言之也言與吳茱萸湯反其證增劇頭汗出心中懊憹而欲嘔者是瘀熱在上焦者非復久寒在胃者也當與梔子豉湯也

吳茱萸湯方

吳茱萸一升　人參三兩　生薑六兩

大棗十二枚

右四味、以水七升、煮取二升、去滓、溫服七合、日三服、

太陽病、寸緩關浮尺弱、其人發熱汗出、復惡寒、不嘔、但心下痞者、此以醫下之也、如其不下者、病人不惡寒而渴者、此轉屬陽明也、小便數者、大便必鞕、不更衣十日無所苦也、渴欲飲水、少

少與之、但以法救之、渴者宜五苓散。此章、議論無統理也、

脈陽微而汗出少者、爲自和也、汗出多者、爲大過、陽脈實、因發其汗、出多者、亦爲大過、大過爲陽絶於裏、亡津液、大便因鞕也、此章、議論膚淺、不足取、且云陽絶者、非本編之義也、

脈浮而芤、浮爲陽、芤爲陰、浮芤相搏、胃氣生熱、其陽則絶、

趺陽脈浮而濇、浮則胃氣強、濇則小便數、浮濇相搏、大便則難、其脾爲約、麻仁丸主之、右二章、以脈論、

證、非本編之例也、

麻仁丸方

麻子仁二升　芍藥半斤　枳實半斤

大黃一斤　厚朴一尺　杏仁一升

右六味爲末、煉蜜爲丸、桐子大、飲服十丸、日三服、漸加以和爲度、

太陽病三日、發汗不解、蒸蒸發熱者、屬胃也、調胃承氣湯主之、本編云、柴胡證仍在者、復與柴胡湯、此雖已下之、不爲逆、必蒸蒸而振、却發熱汗出解、是蒸蒸發熱者、太陽而非陽明也、

傷寒吐後腹脹滿者與調胃承氣湯 此章吐後腹脹滿之一證無陰陽之可據也

大陽病若吐若下若發汗後微煩小便數大便因鞕者與小承氣湯和之愈

得病二三日脈弱無大陽柴胡證煩躁心下鞕至四五日雖能食以小承氣湯少少與微和之令小安至六日與承氣湯一升若不大便六七日小便少者雖不能食但初頭鞕後必溏未定成鞕攻之必溏須小便利屎定鞕乃可攻之宜

大承氣湯。右二章、津液乾燥之證已。

傷寒六七日、目中不了了、睛不和、無表裏證、大便難、身微熱者、此爲實也、急下之、宜大承氣湯。

此章、似熱結在裏者、然既無表裏證、因睛不和一證而用攻下者、嗚呼危哉。

陽明病、發熱汗多者、急下之、宜大承氣湯。

發汗不解、腹滿痛者、急下之、宜大承氣湯。

腹滿不減、減不足言、當下之、宜大承氣湯。右三章亦不可知陰陽之所在也。

陽明少陽合病、必下利、其脈不負者、爲順也、負

者失也互相剋賊名爲負也脈滑而數者有宿食也當下之宜大承氣湯以五行建論者非本編之義也

病人無表裏證發熱七八日雖脈浮數者可下之假令已下脈數不解合熱則消穀能饑至六七日不大便者有瘀血宜抵當湯若脈數不解而下不止必協熱而便膿血也此章文理混淆無統理也

傷寒發汗已身目爲黃所以然者以寒濕在裏不解故也以爲不可下也於寒濕中求之云於寒濕中求之者指方書之辭也凡醫書分病名論者隋巢元方爲始也分類聚方者唐孫思邈爲首

也、肘后方雖出葛稚川、廑廑數十方已、金匱雖稱張仲景、爲僞撰明也、其他如范汪梅師深師、今皆亡、其方纔載于外臺祕要、則不知全書如何、然而要之、東晋以後也、由此觀之、云於寒濕中求之者、所加于晋以後、而其他僞章、間出于叔和以後、亦審也、千金翼於寒濕中求之一句無矣、

傷寒七八日、茵蔯蒿湯之本章、具陽明之全證、故云陽明病、此章末具陽明之全證、故云傷寒也、傷寒七八日者、其地位、與大柴胡湯同也、**身黃如橘子色、**身黃劇而鮮明者也、**小便不利腹微滿者、茵蔯蒿湯主之、**是爲茵蔯蒿湯弘其用也、言傷寒七八日、身黃如橘子色者、雖無頭汗出、而身無汗、渴引水漿證、然小便不利、腹微滿者、則瘀熱在裏的然、茵蔯蒿湯主之也、

傷寒身黃發熱梔子蘗皮湯主之

梔子蘗皮湯方

梔子十五箇　甘艸一兩　黃蘗二兩

右三味以水四升煮取一升半去滓分溫再服

傷寒瘀熱在裏身必發黃麻黃連軺赤小豆湯主之　右二章膚淺不足取

麻黃連軺赤小豆湯方

麻黃二兩　赤小豆一升　連軺二兩

杏仁四十箇　大棗十二枚　生薑二兩

生梓白皮一升　甘艸二兩

已上八味以潦水一斗先煮麻黃再沸去上沫内諸藥煮取三升去滓分溫三服半日服盡

補　此篇正文十章合爲一段分爲三節也始一節三章始章明陽明病本因也二章擧陽明病之正證明大承氣湯之地位也終章擧吐下後極劇之證再明大承氣湯之地位也中節二章前章擧三陽合病明雖陽明也亦有白虎湯之證也後章擧二陽併病明雖併病也亦歸大承氣湯也終節五章始章擧陽明病混淆之證明其治法不必拘大承氣湯也第二章三章擧梔子豉湯小柴胡湯二證亦明陽明變證之治法也第四章五章擧茵

陳蒿湯之證、明陽明病不唯胃實也、其次序
例、始節、明陽明病正證之治法也、既明正證
之治法、故中節明合併病之治法也、既明合
併病之治法、故終節三章、明陽明病變化之
治法也、本證正變之治法既備矣、故
終二章、舉瘀實之治法、結收一篇也、

傷寒論特解卷之六

傷寒論特解

傷寒論特解卷之七

大日本　尾張　淺野徽元甫　續註
　　　　弟子　富田肥大順　校正

少陽病篇

少者、靜衰之名也、故陽病之靜衰者、謂之少陽病也、夫大陽病者、陽病之隆赫者也、故其脈浮緊、其寒嗇嗇、其熱翕翕以至下利嘔逆煩躁發狂、皆隆赫者也、而大陽病不解、轉入少陽、則浮緊之脈、變爲沈緊、嗇嗇惡寒、翕翕發熱、亦爲往來寒熱、或默默不欲飲食、或脇下鞕滿、總爲靜衰之證、故爲少陽病也、

少陽之爲病、口苦咽乾目眩也、是少陽病之總目章也、凡稱少陽病

者表熱入于胸脇心下而攻其上者也故其病以胸脇心下小柴胡湯之地位爲其根據而見其證於胸脇以上者也故以口苦咽乾目眩爲其總目章以明少陽之地位也

少陽中風兩耳無所聞目赤胸中滿而煩者不可吐下吐下則悸而驚

云少陽中風者非本編之例也其說見上且本編凡云不可吐下者以有其疑證也此章所舉皆小柴胡湯之證則固無可吐下之疑證可見其出于後人也

傷寒脈弦細頭痛發熱者屬少陽少陽不可發汗發汗則譫語此屬胃胃和則愈胃不和煩而悸

頭痛發熱者大陽病也以但脈弦細爲屬少陽者即肝爲木之義非本編之例也且以譫

語一證爲屬胃者、鹵莽甚矣、

本太陽病不解轉入少陽者、謂太陽之惡寒發熱、身疼腰痛、脈浮緊等之表證皆罷也、**脇下鞕滿、**大陽病不解、表熱入于裏、必先見脇下鞕滿、是爲少陽病之本證也、於太陽篇小柴胡湯章云胸脇苦滿、或胸中煩者、其邪猶在大陽之地位、故主胸而稍及脇也、此則其邪入于少陽之地位、故脇下鞕滿爲本證也、又於大陽篇云脇下痞鞕者、置之于諸或變證中、不爲本證、以脇下非大陽之地位故也、且云痞鞕而不云鞕滿者、謂於大陽病假令見脇下之證、然其邪未深、故爲痞鞕而未爲鞕滿也、於少陽則其邪已深、故爲脇下鞕滿也、是爲少陽之本證、故首擧之也、**乾嘔不能食、**是表熱入于脇下而上攻也、劇於大陽病默默不欲飲食一等也、**往來寒熱、**於大陽篇小柴胡湯章、以表熱爲主、故先擧往來寒熱、次擧胸脇苦滿也、

傷寒論特解　卷之二　少陽篇

於此章、以裏證爲主、故先舉脇下鞕滿、次舉往來寒熱也、**尚未吐下、**若已經吐下、而其證變動者、則非復少陽病之本證、此章、欲明少陽病之本證、故以尚未吐下者爲的候也、**脈沈緊者、**大陽之證皆罷、故浮緊變爲沈緊也、**與小柴胡湯、**與者、姑與此藥而觀其後證之辭也、此章、少陽病之本證、而小柴胡湯者、少陽病之本藥也、然則當云主之、而云與者、何也、曰、少陽病之見證、不止脇下鞕滿乾嘔不能食往來寒熱、而今但舉此三證、不及餘證者、凡大陽病不解、轉入少陽者、大陽之證未罷者、或六七、或二三、而已轉入少陽者、或二三、或六七者多矣、故少陽病之治法、已備于大陽篇也、是以此篇欲明少陽病之本證、故但舉脇下鞕滿乾嘔不能食往來寒熱三證、與小柴胡湯一方、以示治例之大準也、言少陽病之見證、不止此而已、若見衆證、則當準于大陽篇中波及少陽之治法而治之也、故云與、而不云主之也、**若已吐下發汗溫**

鍼譫語柴胡證罷此爲壞病若已經吐下發汗溫鍼而其證變動柴胡證罷是以吐下發汗溫鍼搗壞其本證也知犯何逆以法治之知犯何逆者觀其脈證於吐下發汗溫鍼知犯何逆也以法治之者隨陰陽之分寸合之於本編之規矩而處方劑也此證吐下發汗溫鍼而柴胡證罷但譫語者似陽明病然其脈證陰陽未可先傳之故不設其法方膠定學者之心且云以法治之者是作者之所以有深意者也

三陽合病脈浮大上關上但欲眠睡目合則汗以三部論脈非本編之例也且論證不具不足取

傷寒六七日無大熱其人躁煩者此爲陽去入陰故也

傷寒三日、三陽爲盡、三陰當受邪、其人反能食

而不嘔、此爲三陰不受邪也、

傷寒三日、少陽脈小者、欲已也、右三章、傳經之說已、辨見上、

少陽病欲解時、從寅至辰上、說見上、

傷寒論特解卷之七

傷寒論特解卷之八

大日本　尾張　淺野徽元甫　續註

弟子　富田肥大順　校正

大陰病篇

大陰病者、胃中之陰病也、其爲病之本、胃中有寒、而見諸證也、又大陽之表證、因誤下、而入于裏、見腹滿時痛者、亦謂之大陰病、然而是非大陰病之正、以同其地位、屬之于大陰也、夫大陽陽明少陽、謂之三陽、皆陽實病、而主熱者也、大陰少陰厥陰、謂之三陰、皆虛證而主寒者也、而陽明與大陰、其部位之所處、同一胃中也、而陽明者、爲胃中之熱實、大陰者、爲胃中之寒冷、故陽明大陰、俱是同一部、而寒熱相反、如冰炭也、故陽明病、毒熱在胃中、而表裏皆熱、猶烈夏炎日。大陰病、寒冷在胃中、而外表猶陽、如晝月之麗于天中也。又大者、猶粗也。陰者陰病也。言其陰粗淺、不周遍密緻也。夫少陰病者、爲陰病之正、其證惡寒厥逆下利嘔逆、無內外皆不虛寒也。大陰病者、但胃中有寒、而其外皆陽實、比之少陰、則其寒不周遍密緻也。

大陰之爲病、腹滿而吐、冷陰在胃中、故腹氣混濁而滿、且吐食也。食不下、吐後寒氣益上逆、故食不下也。自利益甚、不但吐而食不下、又自利、而其證益甚也。時腹自痛、又爲冷陰在胃中故、時時腹自痛也。非是劇痛、又非不斷而痛者也。若下之、必胸下結鞕。是大陰病之總目章也。故爲總括之辭也。言大陰病、以胃中有冷陰爲本、故其證因腹滿則雖似當攻下者、然與陽明之腹滿諸證殊不同矣。須以溫劑治之也。若誤認為陽明之腹滿而下之必寒氣上衝結鞕胸下為逆大也以大陰陽明同處一部也凡病雖見證似陰陽異如水火者多矣須據此章取法慎莫今誤也結鞕者結聚堅鞕而劇於痞鞕者也

大陰中風四支煩疼陽微陰澁而長者為欲愈

云大陰中風者非本編之例也

大陰病欲解時從亥至丑上說見上

大陰病脈浮者可發汗宜桂枝湯大陰病者胃中有冷陰而見諸證則假令有表證法當救裏裏證既愈而表仍不和則當救表是一定不易之大法也若無裏證唯桂枝之證而脈浮者即大陽病而非大陰病也

自利不渴者屬大陰以其藏有寒故也當溫之

宜服四逆輩、自利不渴者、以胃中有寒故也、今以藏論者、非本編之例也、且大陰之本證、而非屬病也、

傷寒脈浮而緩、手足自溫者、繫在大陰、大陰當發身黃、若小便自利者、不能發黃、至七八日、雖暴煩下利日十餘行、必自止、以脾家實、腐穢當去故也、此章、自始至七八日、已見于陽明篇、說具于彼也、且不藥而脾家實、腐穢自去者、陽病而非大陰也、

本大陽病、云大陽病者、以明有表證也、醫反下之、是大陽病有表證者、假令有腹部之證、法當先解外、而後攻其裏、也、而醫不察、誤下之、故云反下之也、因爾腹滿

時痛者、云腹滿時痛者、擧大陰之地位也、本大陽病、以誤下之故、胃中虛、微寒客在于胃中、以此爲因、而腹滿時痛者、是大陰之地位也、爾同而也、

屬大陰也、大陽病誤下、而其證變動者多矣、而腹滿時痛者、則大陰之地位也、然是因誤下而來、非大陰之正、故云屬大陰也、屬附屬也、

桂枝加芍藥湯主之、是本大陽熱證也、然因誤之下之、胃中虛、微寒客在胃中、而腹滿時痛、則無疑爲大陰病、故云主之也、凡云主之者、主一無適之辭也、

大實痛者、桂枝加大黃湯主之、雖誤下之、然幸不變陰證、陽實熱證、而大痛者、加大黃再下之、亦不可疑也、故又云主之也、夫大陰者、陰病也、然時有陽證、則治法亦隨而變矣、猶少陰篇有大承氣湯也、

大陰爲病、脈弱、其人續自便利、設當行大黃芍

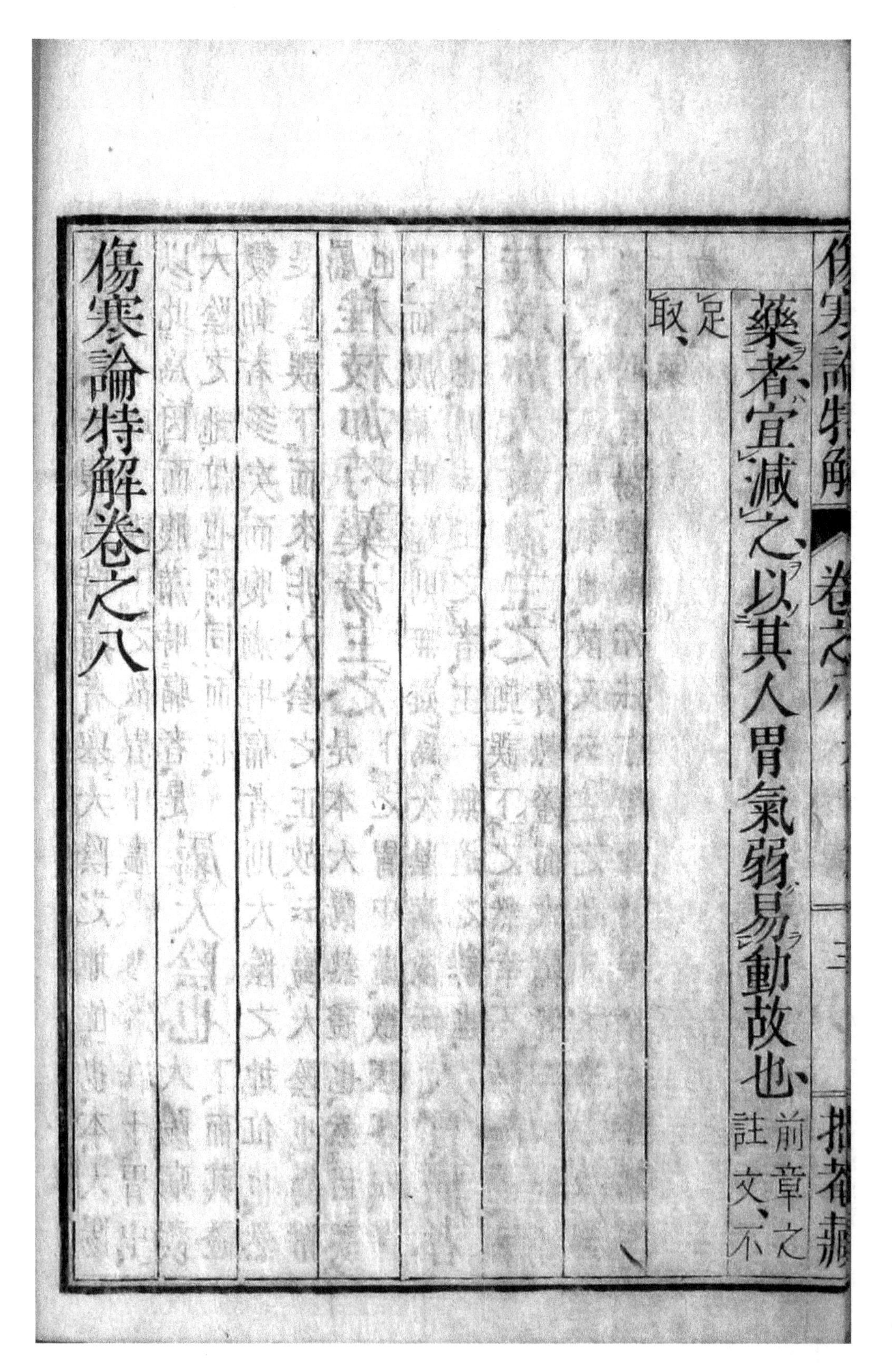

藥者宜減之以其人胃氣弱易動故也前章之註文不足取

傷寒論特解卷之八

傷寒論特解卷之九

大日本　尾張　淺野徽元甫　續註

弟子　富田肥大順　校正

少陰病篇

少陰之爲病、陰寒之深劇者也、陰寒深劇而陽氣退消、其證靜衰也、故以少陰名之也、夫大陰病、雖陰證也、而其寒在于胃中、而外皆陽實者也、少陰病、內外皆寒者也、寒也者、今之所謂虛奪之類也、其脈必沈、或微或細、其證或惡寒、或腹痛、而下利、或小便白、或大便不變色而不和、或手足寒、其病無急劇之狀、唯難起坐欲寐也、故其狀靜衰、而其病甚重矣、六部中、自頭頂至足端、內外皆屬于熱者、爲大陽病也、又自足端至頭頂、內外皆屬于寒者、爲少陰病也、故少陰病與大陽病相反者也、故大陽病、爲陽病之大本、少陰病、爲陰病之大本也、少者、靜衰之名、陰者陰病也、

少陰之爲病、脈微細、或微或細也、但欲寐也、其氣滯著不揚也、是

少陰病、總目章、故爲總括之辭也、言少陰之病、內外皆寒者也、故其證、自惡寒、手足寒、身體痛、至吐利煩躁、咽痛胸滿、厥逆脈無、無不有者、而不可一定也、其所必有者、其脈或微或細、但欲寐也、

少陰病、欲吐不吐、心煩、但欲寐、五六日、自利而渴者、屬少陰也、虛故引水自救、若小便色白者、少陰病形悉具、小便白者、以下焦虛有寒、不能制水、故令色白也、自利而渴者、厥陰而非少陰也、且云虛故引水自救者、卽

腎屬水之義、非本編之例也、

病人脈陰陽俱緊、反汗出者、亡陽也、此屬少陰、法當咽痛而復吐利、脈陰陽浮緊者、大陽傷寒之本脈、而無汗者、一定之證也、而汗出則脈證相反、爲亡陽、亡陽卽陰證、故云屬少陰也、然凡本編論變證者、先擧本證、次擧逆治、又次擧變證、而後擧治法具論者也、今此章、忽略不具、非本編之例也、且此證大陽病之變證、例當論之於大陽篇也、

少陰病、咳而下利讝語者、被火氣劫故也、小便必難、以強責少陰汗也、此章、亦不擧本證、徒論變證者也、

少陰病、脈沈細數、病爲在裏、不可發汗、脈浮大病在表、

而可發汗者、太陽病也、少陰病、固無此疑證矣、然少陰病脈沈、反發熱者、乃可發汗、可見僞章不足取、

少陰病、脈微、不可發汗、亡陽故也、陽已虛、尺脈弱濇者、不復可下之、

微者、少陰之本脈、不可發汗、一定之法、固不待言也、且所謂亡陽者、有陽證陽脈、而爲汗下變來者也、與少陰病不同、當擧本證具論者也、又脈分尺寸者、非本編之例也、

少陰病、脈緊、至七八日、自下利、脈暴微、手足反溫、脈緊反去者、爲欲解也、雖煩下利、必自愈、

少陰病、下利、若利自止、惡寒而踡臥、手足溫者、

可治。

少陰病、惡寒而踡、時自煩、欲去衣被者、可治。右三章、以或手足溫、或緊脈去、或利止、或煩欲去衣被、爲同陽之候、故爲可治也、膚淺之論、不足取、且以緊脈爲少陰之脈、非本編之例也、

少陰中風、脈陽微陰浮者、爲欲愈。云少陰中風、非本編之例也、

少陰病、欲解時、從子至寅上。說見上、

少陰病、吐利、手足不逆冷、反發熱者、不死、脈不至者、灸少陰七壯。此章不擧方劑而用灸法、非本編之例也、

少陰病八九日、一身手足盡熱者、以熱在膀胱必便血也。本編、桃核承氣湯證、以其人如狂、少腹急結、爲熱在膀胱作血證之徵也、今此證、一身手足盡熱者、未足徵血證也、且此證、大陽病而非少陰也、

少陰病、但厥無汗、而強發之、必動其血、未知從何道出、或從口鼻、或從目出、是名下厥上竭、爲難治。吐利厥逆而無汗者、少陰之定證、誰敢發汗者乎、假令此證、而投麻黃大青龍輩、則變證百出、死在頃刻、何唯動其血、又以此證爲厥陰之熱厥、則其證固多汗、誰復發之、要之、後人之偏章、不足論已、

少陰病、惡寒身踡而利、手足逆冷者、不治。此章少陰

之定證、未必爲死候也

少陰病、吐利躁煩四逆者死

少陰病、下利止而頭眩、時時自冒者死

少陰病、四逆惡寒而身踡、脈不至、不煩而躁者死

少陰病六七日、息高者死

少陰病、脈微細沈、但欲臥、汗出不煩、自欲吐、至五六日、自利、復煩躁不得臥寐者死　右六章、徒舉死證而無治法、非本編之例也、

少陰病始得之是少陰病始得之其證但欲寐又其背惡寒身體痛手足寒而必無吐下厥逆等裏證者也凡少陰病於法爲虛寒而通篇每章皆包有惡寒故通脈四逆湯章云其身反不惡寒可見少陰病有惡寒爲定證也**反發熱**少陰病於法惡寒而不發熱爲定證而今發熱故云反也**脈沈者**少陰病以微細爲本脈然此證始得之無裏證故但沈而不微細也言始得之其證惡寒體痛而發熱其脈反沈者此爲少陰病也若其證惡寒體痛而發熱脈浮者是大陽病而非少陰也此文當云少陰病始得之脈沈反發熱而今不然者欲以反字貫發熱脈沈二者也言少陰病當不發熱而反發熱矣又發熱則脈當浮而反沈矣**麻黃附子細辛湯主之**少陰病始得之惡寒體痛而不發熱則附子湯之所主也又纔有裏證則四逆湯之所主也然則此證始得之惡寒身體痛手足寒或但欲寐而反發熱脈沈又無吐利厥逆等裏證者

故麻黃附子細辛湯微發汗無復所疑故云主之也此證疑途有二焉傷寒總目章云太陽病或已發熱或未發熱必惡寒體痛嘔逆脈陰陽俱緊者本章惡寒而發熱又身體痛則其所異者嘔逆與脈緊已又或不必嘔逆則所異者脈狀已又大青龍湯章曰傷寒脈浮緩身不疼但重乍有輕時而無少陰證者此證其惡寒發熱亦所必有也而身重似但欲寐者則其所異者身不疼與脈狀已本章又不言身疼則亦唯脈狀異已夫證候之所異者毫釐而陰陽之所差乃千里此而誤治則取大蓋學者宜審諦陰陽脈證而後處其方也

麻黃附子細辛湯方

麻黃二兩　細辛二兩　附子一枚

右三味以水一斗先煮麻黃減二升去上沫內諸

藥煮取三升、去滓、溫服一升、日三服、

少陰病、得之二三日、是云得之二三日者、承上章始得之也、且不擧其證者、備于上章也、言少陰病始得之、其證身體痛、手足寒、骨節痛、而反發熱、脈沈者、則當發其汗、然自始得之已至二三日、則疑不復可發汗、而其人無吐利厥逆之裏證、則亦可發汗也、又已至二三日、而無他變候、則其證亦緩、故其方以甘草換細辛也、曰何以知此章亦爲反發發熱證乎、曰、少陰病不發熱、則附子湯之所主、而無復發汗之法也、且此章不擧脈證、故知與上章互文也、**麻黃附子甘艸湯微發汗、**少陰病不可發汗者、一定之法也、然此證反發熱、則爲變證、故治法亦變爲發汗也、然其法不啻方劑異也、發汗亦微微、而與陽證之發汗不同、故云微、以示其法也、又以此可徵桂枝麻黃葛根大青龍湯等方後服法、後人之杜撰也、**以二三日無裏**

證故微發汗也裏證謂吐利厥逆等也少陰病纔有裏證則當與四逆輩而不可發汗者定之法也此文略于上章故備于此矣

麻黄附子甘艸湯方

麻黄二兩　甘艸二兩　附子一枚

右三味以水七升先煮麻黄一兩沸去上沫內諸藥煮取三升去滓溫服一升日三服

少陰病前章反發熱而脈沈者也得之二三日以上以上猶以往也是接上二章而承之也始章始得之也次章得之後二三日也此章自二三日至四五日也心中煩不得臥是少陰病始得之後自二三日至四五日既服麻黄附子細辛湯或麻黄附子

甘草湯、以發汗、寒去而變熱、其熱在於心胸中、而煩悶、不得臥也、此證雖少陰病、本已發熱、且無裏證、故變熱亦易其熱直入於心胸中、與大陽之表熱入於心胸者同、而與少陰之本證、吐利厥逆客氣上衝心胸者、殊不同也、

黃連阿膠湯主之

心中煩悶、不得臥者、雖少陰病變證、而非陰證、故黃連阿膠湯主之也、此證疑途有二焉、少陰病、欬而嘔渴、心煩不得眠者、雖乃不得眠、然能臥者也、此則但起坐不得臥、則其煩甚於彼也、又大陽病梔子豉諸湯之證、虛煩不得眠、劇者、反覆顛倒、心中懊憹、或心煩腹滿、臥起不安者、皆發汗吐下之後、虛氣上逆之所為、而其所因來、與本證異也、然若其地位、則同在心胸中也、學者當審此三證、而後通變處治也、

右三章、前二章、舉少陰之表證而變者、後一章、舉前二章服藥之後、寒去而為熱者、以結少陰病變表證之治法、而下更起少陰之正表證也、

黃連阿膠湯方

黃連四兩　黃芩二兩　芍藥二兩

雞子黃二枚　阿膠三兩

右五味、以水五升、先煮三物、取二升、去滓、內膠烊盡、小冷、內雞子黃、攪令相得、溫服七合、日三服、

少陰病、是少陰病之正表證、脈沈而不發熱者也、得之一二日、前章既云二三日以上、結少陰病變表證之一節、故此又云一二日、別起少陰病正表之治法也、口中和、謂無口舌乾燥渴飲等證、而食味不變也、陽證口中不和、陰證口中和、然有吐利厥逆之裏證、則不和矣、故云口中和者、為無裏證之徵也、又陽證、舌胎黃黑、而口中稍和、間有能食者、醫者坦然以為

可治而有忽焉告變者是其人必陽證陰脈也不詳審陰陽之過也其背惡寒者當灸之當灸之三字後人之所加當削去也附子湯主之云口中和其背惡寒者總括少陰病表證之表裏而擧之也又以明少陰之表證與大陽之表證之大別也言少陰病虛寒爲本故於表則其背唯是惡寒於裏則唯是口中和則假令雖有傍證不足復顧慮當斷以爲少陰之表證而以附子湯主之也又有頭項強痛惡寒發熱身疼腰痛嘔逆等證而纔有裏證則口中不和者大陽之表證也故於表則無大陽之證於裏則無口中不和之證而其脈沈者當斷以爲少陰之表證而以附子湯主之也

附子湯方

附子二枚　茯苓三兩　人參二兩

白朮四兩　芍藥三兩

右五味、以水八升、煮取三升、去滓、溫服一升、日三服。

少陰病、少陰之正表證也、身體痛、手足寒、但手足不煖也、與厥冷厥逆不同也、凡云厥冷厥逆者、其人吐利、或有劇證者也、是無裏證、又無劇證、故但手足寒而不煖也、骨節痛、此三句、皆其寒在于表之證也、前章云其背惡寒、則身體痛、手足寒、骨節痛、自包其中、是擧大綱也、此章、云身體痛手足寒骨節痛、則其背惡寒、自在其中、是擧細目也、脈沈者、附子湯主之、前章爲經證、此章爲緯證、俱爲少陰之表證、則其口中和、亦可知也、而此章不擧之、而前章不擧脈沈者、俱爲互文也、

少陰病少陰病表證正變之治法、盡于上、故此章、擧寒在于下焦者也、其脈微細或沈、但欲寐者也、**下利便膿血者、**大陽病、熱在下焦、血下者、其人發狂者也、此證、寒在下焦、膿血與大便下者、其人安靜者也、**桃花湯主之、**此章、不擧日數及餘證、所以直云下利便膿血者、桃花湯主之者、言、少陰病、下利便膿血者、此寒在于下焦、而其人安靜者也、與大陽病、熱在下焦、純血自下、而其人如狂者、陰陽相反者也、不拘日數、不問餘證、即當用桃花湯主之、不可復疑也、何則假令日有多少、證有疑途、然其人下利便膿血、則以便膿血爲本證、而便膿血目睹有徵、無所復疑惑故也、

桃花湯方

赤石脂一斤　乾薑一兩　粳米一升

右三味、以水七升、煮米令熟、去滓、温服七合、内赤石脂末方寸匕、日三服、若一服愈、餘勿服、若以下、後人之所加、當刪去也、

少陰病、脈微細或沈、但欲寐者也、上章云、下利便膿血、則自始大便膿血雜下者、而為桃花湯之證的然也、此章、二三日至四五日、既腹痛、小便不利、下利不止、而便膿血、則似小便不利下利不止為主證、而便膿血為傍證者、故舉此以明治法也、二三日至四五日、此日數、與眞武湯之證同也、腹痛、寒在于裏也、小便不利、下利不止、言此三證、自二三日有之、而至四五日仍未止也、便膿血者、桃花湯主之、是與眞武湯之證有疑途也、眞武湯章云、少陰病二三日不止、至四五日、腹痛、小便不利、此文與此章同、

傷寒論特解　卷之乙　少陰篇　二十　出雲藏

而其下文云、四肢沉重疼痛、自下利者、此爲有水氣、此章、則云下利不止、便膿血者、由此觀之、眞武湯之證、以腹痛小便不利、爲本證、而以四肢沉重疼痛自下利、爲傍證也、桃花湯之證、以便膿血、爲本證、而以腹痛小便不利下利不止、爲傍證也、故腹痛小便不利下利不止、姑置不問、以桃花湯、直治便膿血、則諸證皆愈、此爲治法矣、

少陰病下利便膿血者、可刺、此證之治法、前二章已悉之、何有所不足、用刺法之爲、出于後人者也、

少陰病吐利、白通湯通脈四逆湯等、少陰病極劇之證、先擧下利、而後及餘證者也、此章、云吐利、而不云下利、則知其本證在于吐、而下利、卽傍證也、手足厥冷煩躁欲死者、寒在于中焦、而爲劇也、吳茱萸湯主之、此證寒在于中焦、而利且吐、吐

殊甚、裏氣上逆、手足厥冷、煩躁、欲死者、呉茱萸湯主之、若吐且利、利殊甚、裏氣虛奪、手足厥冷、煩躁欲死者、非復呉茱萸湯之所主、四逆湯主之也

右五章、初章、舉少陰表證之大綱也、二章、舉少陰表證之細目也、此二章、少陰表證之正、而與首節及發熱者不同也、第三章、第四章少陰病其寒在于下焦者也、終章其寒在于中焦者也、

此一節五章、皆少陰病寒實之證、而與下節虛寒多變證者迥乎不同也

少陰病、脈微細、但欲寐者也、**下利、咽痛、胸滿、心煩者、猪膚湯主之**

此證大陽病不解、轉入少陰、下利日久、腹中稍為虛寒、津液亦衰耗、而餘熱上攻、見咽痛胸滿心煩者也、上章舉寒實在中焦、而躁擾者、此章舉熱毒在上焦、而靜衰者也、而此證疑途有三焉、其一則厥陰病消渴、心中疼熱者、腹中純陰、上焦盛熱、而上下寒熱相反者也、其二則白通加猪

膽汁湯之證、乾嘔煩者、腹中純陰、而見客熱于上者也、其三則通脈四逆湯之證、乾嘔咽痛者、上下皆純陰者也、與本章少同太異也、學者須詳諦脈證也、

猪膚湯方

猪膚一斤

右一味、以水一斗、煮取五升、去滓、加白蜜一升、白粉五合、熬香、和相得、溫分六服

少陰病二三日、咽痛者、可與甘艸湯、不差者、與桔梗湯、

前章、咽痛深劇、而此章淺易者也、此云二三日咽痛、而不舉下利及餘證、又云與而不云主者、言少陰病始二三日、咽痛而無下利及餘證者、可與甘草湯、不差者、與桔梗湯、然是在于始二三

三日、而其證淺易者也、若日多證劇、則豬膚湯、或通脈四逆湯之所主也、又雖在于始二三日、咽痛而下利或有餘證者、當用其本證之主方四逆輩、而併用甘草湯、或桔梗湯、學者須審詳其證、而權其宜也、故云與也、與也也者、權宜之辭也、

右甘草湯桔梗湯二方、非少陰之本藥、故於少陰病、當與本證之主方併用也、且雖在太陽陽明少陽、而咽痛者、可隨其證而用之、其於大陰厥陰者亦然、其於他篇不擧之、而於此擧之者、以類從也、

甘艸湯方

甘艸二兩

右一味、以水三升、煮取一升半、去滓、溫服七合、日二服、

桔梗湯方

桔梗一兩　甘艸二兩

右二味以水三升煮取一升去滓分温再服

少陰病咽中傷生瘡不能語言聲不出者苦酒湯主之　此章及下章以類證之方附錄者也不足取

苦酒湯方

半夏十四枚　雞子一枚去黃

右二味内半夏著苦酒中以雞子殼置刀環中安火上令三沸去滓少少含嚥之不差更作三

剤ヲ

少陰病、咽中痛、半夏散及湯主之。云半夏散及湯者、苟且之言已、

半夏散及湯方

半夏　桂枝　甘艸　以上各等分

已上三味各別擣篩已、合治之、白飲和服方寸七、日三服、若不能散服者、以水一升煎七沸、内散兩方寸七、更煎三沸、下火令小冷、少少嚥之、

少陰病、脈微但欲寐、其背惡寒、骨節痛者也、下利、白通湯主之、是少陰病、

脈微，其背惡寒，骨節痛，而下利者，少陰之正證，而表裏寒凝者也。故四逆湯減乾薑半兩，以葱白代甘草，而名白通湯者，以此湯急通內外之陽故也。曰，此章不擧脈狀與餘證，直云少陰病下利，則何以知爲少陰病之正證乎。曰，是傷寒論錯綜章節，寓微意于其際者也。夫猪膚湯之證者，陽熱入裏，而作下利者也。故以咽痛胸滿心煩證之。眞武湯之證者，有水氣而作下利者也。故以小便不利，四肢沈重疼痛證之。通脈四逆湯之證者，以裏寒外熱而作下利者也。故以清穀下利，身反不惡寒，其人面赤色證之。此章以少陰病正證下利，則別無他證之可擧。是所以直云少陰病下利也。何則脈微但欲寐，總目章擧之，其背惡寒，骨節痛，附子湯之證擧之。故知此章備二章之證，而下利也。若於此章再擧之，則正證之外，又似生一岐。是欲詳，而反紊之也。故直云少陰病下利者，寓微意于章節之際，而所以明少陰病正證而下利者也。讀者察焉。

白通湯方

葱白四莖　乾薑一兩　附子一枚

右三味、以水三升、煮取一升、去滓、分温再服、

少陰病、下利脈微者、即上章之證也、上章擧少陰之正證、故不言脈狀、此章擧變證、故先說本證之脈狀也、與白通湯、利不止、厥逆無脈、上章脈微而不厥逆者、今則厥逆無脈也、乾嘔煩者、乾嘔而心煩也、此二證者、寒變爲熱而上逆者也、白通加猪膽汁湯主之、服湯脈暴出者死、微續者生、服湯以下、後人之所加、當删去也、◯是少陰病下利、脈微者、表裏寒凝之證、當與白通湯、即與白通湯、其證益劇、下利不止、而前脈微、未厥逆者、今厥逆無脈、且乾嘔而心煩、則是因下利不

正、寒稍爲熱而上逆也、白通加猪膽汁湯主之也、問曰、是陰寒純證也、而今云寒稍爲熱而上攻者何也、曰、是與裏寒外熱之熱同、而與陽證之熱大不同也、但彼則裏寒外熱、是則下寒上熱也、皆陽氣散浮之所爲也、又猪膚湯之爲熱證、亦津液乾涸之所爲、而與三陽之熱證不同也、學者須意悟之也、

白通加猪膽汁湯方

葱白四莖　乾薑一兩　附子一枚

人尿五合　猪膽汁一合

已上三味、以水三升、煮取一升、去滓、内膽汁人尿、和令相得、分温再服、若無膽亦可用、

少陰病、脈微細或沈、或惡寒者也、二三日不已至四五日、腹痛、水寒在裏也、小便不利、水氣之證也、四肢沈重疼痛、云沈重疼痛者、以明水氣之證、與大陽表證、唯疼痛而不沈重者不同也、自下利者、無別爲下利之因、但以本證、而下利者、故云自也、此爲有水氣、法語也、言少陰病、脈微細或沈、或惡寒而二三日至四五日、腹痛、小便不利、四肢沈重疼痛、自下利者、此雖云少陰病、然其實少陰病而有水氣者、非復少陰病之正也、學者當須審識其證、而後處其方也、凡法語者、使學者審諦其因、而爲治法之準者也、其人或欬、水氣上攻也、或小便利、水氣在上而不在下也、或下利、云或下利、則不下利者亦有之也、或嘔、亦水氣上攻也、眞武湯主之、言上件諸證、皆水氣之所爲、不可疑惑、故云主之也、凡小陰病、於法爲虛寒、其有水氣之證、非少陰之本證、故本章云此有水氣以明虛寒與水氣本是非一也、故大陽篇小青龍湯章云心下有水氣、又生薑瀉心湯章云脇下有水氣可見水氣別爲一證、而少陰大陽俱非其本證也、故皆云有水氣、以別其義、故謂少陰證直爲水氣者、非也、故水氣之爲病、不但少陰大陽已、通六部者也、

少陰病、下利清穀、穀食不變色而與水俱下也、裏寒外熱、法語也、言下利清穀、則裏寒外熱之所爲、爲此證之本因也、通脈四逆湯者、爲少陰病虛寒上逆極劇之劑、故於少陰病初證、無有即用之者、唯此清穀下利、於法爲虛寒極劇、是以雖在初證、而即用之、故章首舉清穀下利也、手足厥逆、脈微欲絕、身反不惡寒、少陰病有惡寒爲定證、而今外熱、不惡寒、故云反也、其人面赤色、虛逆外熱也、或腹痛、裏寒之所爲也、或乾嘔、或咽痛、二證虛逆之所爲也、或利止、脈不出者、

此云利止者、照下上白通加猪膽汁湯利不止、厥逆無脈者、及眞武湯下利者也、又旁廣明少陰下利之諸證、既服餘湯之後、遂作虛寒上逆、脈不出者、皆通脈四逆湯之所主也、故此云利止者、專謂利止者、而清穀止者、包在其中也、

通脈四逆湯主之

是以裏寒爲因、而下利清穀、虛逆外熱者、少陰病極劇陽氣將絕者、而上諸證雖無一定、然皆通脈四逆湯之所主也、

問曰、或云清穀下利、或下利穀不化、其別如何、曰、夫清者、物生而不和揉之名也、如云自利清水色純青、亦可見矣、故清穀下利者、穀皆生而不變色、亦不和揉灑灑然而下也、是以清穀下利於法爲裏寒外熱、言其內有寒、而不能消化水穀、其外有熱、而不能引水穀之氣、故物皆生、而不和揉灑灑然而下也、故清穀下利、必以裏寒外熱言之、欲明此義也、若夫下利穀不化者、異於此、夫穀不化者、是胃中不和也、水穀皆變色、其利黃色、灑灑然而下也、雖云胃中不和、而其內溫熱、猶足以和水穀

也、故下利穀不和者、不與表裏相干、但胃中不和者耳、夫其内温熱足以消化水穀、其外温和足以引水穀之氣也、今則反此、内不能化水穀、外不能引其氣、故以裏寒外熱言之也、非謂表有熱證也、但謂其外温熱、不假水穀之氣、而邪氣爲之也、此裏寒外熱之義也、

問曰、通脈四逆湯章云清穀下利、而下文但以利止言之、何也、曰、通脈四逆湯、是少陰虚寒之本藥也、故少陰證劇者、無不通管也、是以少陰下利、及下利止後、其證劇者、皆管繫此湯也、若唯以清穀止言之、則似遺他諸證、故不言清穀止、而云利止者、以明少陰病劇者、不問其證新久、與利不利、皆管繫此湯之辭也、曰、其章首必云下利清穀者、何也、曰、清穀下利、此湯之本證也、雖在三陽病、及大陰厥陰、苟有此證、則無所不管繫者也、本章欲明此義、故其章首、殊擧清穀下利也、

右六章爲一節、第一章、擧下利而上攻者、以接上章吐而上攻者也、第二章、擧咽痛者、爲上章

之餘波、而以弘其證治也、而此二章、舉陽病以爲後節猪苓湯大承氣之地也、第三章、舉少陰病之本證下利、以結上而起下也、是表裏寒凝之證、少陰之本面目也、第四章、舉前證進劇上攻者也、第五章、舉水氣證、以弘少陰之證治、猶咽痛之證也、第六章、舉少陰病極劇者、以結上也、以明少陰病諸證雖多、至裏寒外熱、而其劇亦極、以通脈四逆湯通營之也、

通脈四逆湯方

甘艸二兩　附子大者一枚　乾薑三兩強人可四兩

右三味、以水三升、煮取一升二合、去滓、分溫再服、

其脈卽出者愈　其脈以下、及方後加減法、皆後人之所加也、

後加減法　面色赤者、加蔥九莖、腹中痛者、去

葱加芍藥二兩、嘔者加生薑二兩、咽痛者去芍藥加桔梗一兩、利止脈不出者去桔梗加人參二兩、

少陰病四逆、其人或欬、或悸、或小便不利、或腹中痛、或泄利下重者、四逆散主之、證云四逆、方用芍藥柴胡、輕重不對也、且既云四逆、又云泄利下重、陰陽異證也、又四逆者套語、非本編之體也、

四逆散方

甘艸　枳實　芍藥　柴胡

右四味、各十分、擣篩、白飲和服方寸匕、日三服

欬者加五味子乾薑各五分并主下利悸者加桂枝五分小便不利者加茯苓五分腹中痛者加附子一枚泄利下重者先以水五升煮薤白三升取三升去滓以散方寸匕內湯中煮取一升半分溫再服

少陰病下利（水氣之所爲也）六七日（云六七日者接眞武湯四五日而承之也）欬而嘔渴（欬而又嘔且渴也）心煩不得眠者猪苓湯主之

此數證皆水熱相搏而上攻者也言少陰病二三日至四五日腹痛小便不利四肢沈重疼痛自下利者爲陰證水氣眞武湯主之又少陰病六七日下利欬而嘔渴心煩不得眠者則是陽證水氣之

證而非復陰證之水氣是猪苓湯之所主也是大陽病不解入于少陰者雖其地位即少陰而病則陽證如此故治法亦不得不隨之也故云少陰病五六日按眞武湯四五日而示學者以治法之變化也不然是陽證也宜論之於大陽篇者也而今冠少陰病者是作者之所以寓深意者也凡三陰篇論陽證者皆此例也又此章不云小便不利者欬而嘔渴心煩不得眠者皆水氣上攻之證而又下利則其小便不利隨而可知也又眞武湯章云或小便利則水氣之證不必拘拘小便利與不利亦可以見矣

少陰病得之二三日口燥咽乾者急下之宜大承氣湯

後章自利清水者以其地位爲少陰之故其證亦與陽明胃實之證大異也是所以爲少陰中大承氣湯之證也此章所舉口燥咽乾而大陽陽明二證亦有口舌乾燥則不

可以此一證徵爲少陰中大承氣湯之證也、

少陰病、自利清水色純青、是燥屎在腸胃爲火熱所煎熬、堅鞕如石、藥水至此不與之和、自傍側而利、故其水如此也、**心下必痛、**云必者、十中期七八之辭也、故十中二三、容有不痛者也、**口乾燥者、**是火熱乾燥津液也、此證自利、則似陰證、故以口乾燥、徵非陰證也、**急下之、宜大承氣湯、**是燥屎在腸胃、火熱乾燥津液、故從緩治、則將至不救、故云急下之也、陽明胃實之證、不大便爲主者也、而此證自下利、而其利又清水、則似少陰之下利、然而其如清穀下利、雖其水麗灑然下、然其中有清穀雜下者也、其他少陰之下利、雖水瀉多、亦皆糟粕雜下、而其水混濁也、此則無糟粕、又其水清淨、其色純青者也、是不同也、又少陰之下利者、手足厥逆、口舌滋潤、脈微細、或欲絶、或乾嘔心煩、或腹痛、或小便不利、而此證則心下必痛、口舌乾燥、其脈或遲、或沈、或腹滿、是亦不同也。
然其本證下利、則與陽明胃實不大便者大異也。
是所以爲少陰中
大承氣湯之證也。

問曰、是少陰篇也、少陰者、陰證之尤盛者也、而此
大承氣湯一章、不出之於陽明篇、而出於此者、何
也。且於陽明篇、則有身重腹滿短氣讝語潮熱手
足汗出等之證、而後以大承氣湯下之、其法嚴正
緻密者也、而此章所擧、不過下利清水色純青心
下痛口乾燥之證、而云急以大承氣湯下之者、無
乃失輕重乎。曰、太陽病不解、入少陰之地、則爲陰
證、此爲少陰病也、又太陽病不解、入少陰之地、不
爲陰證、而爲陽證、亦爲少陰病也、以其地位爲少
陰故也、而其爲少陰者常也、爲陽證者變也、知常
而不知變、則窮矣、故擧此一章、以示應變之法也。
不止少陰也、太陰厥陰亦然、夫太陽病不解、其人
見身重腹滿短氣讝語潮熱手足汗出等之證、則
爲陽明病也、又太陽病不解、其人見下利清水色

純青心下痛、口乾燥之證、則爲少陰病也、何則其熱所入之地異、則其見其證亦如此不同也、是以其見其證如此異、故彼爲陽明病、此爲少陰病也、雖則彼爲陽明病、此爲少陰病、然其毒熱則一也、皆所以一大承氣湯下之也、若夫猪苓湯章、亦明少陰病水氣證、不止眞武湯已、其變證有陽明病也

又問曰、此一章、上云急下之、急也者、斷然行之不顧慮之辭也、下云宜大承氣湯、宜也者、審諦衆證、權其宜之義也、何其言之上下相反也、曰、下利清水、色純青、心下必痛、口乾燥之證、表熱入少陰、煎熬津液者、須臾遲疑、則恐將至大劇、故云急下之也、然其證但下利清水、色純青、心下必痛、口乾燥已、則與陽明病、身重腹滿短氣、譫語潮熱、手足汗出、證確乎可徵胃實者、逈乎不同也、於是若誤下之、則取大害也、故就衆證中、審諦下利清水、色純青、心下必痛、口乾燥、爲本證、當下之宜、而後以大承氣湯下之也、故云宜大承氣湯也、是作者之所難其言、故作上下相反之辭、以示其義也、

少陰病、六七日、腹脹不大便者、急下之、宜大承氣湯。腹脹不大便者、陽明之常證、與前一章津液煎熬者不同也、且以腹脹不大便一證、云急下之者、疎漏甚矣、

少陰病、脈沈者、急溫之、宜四逆湯。此章、云少陰病脈沈、而不擧證候、又云急溫之、又受之於陽證之後、又以總結少陰一篇者、明少陰病、虛寒爲本、四逆湯爲少陰之本藥也、言凡少陰病、其初證、不問寒與熱、不問上與下、又不問深與淺陽與陰、苟服湯藥之後、少陰證不解、脈仍沈者、其證爲深也、將至大劇也、故見此脈者、不必問諸證、權時宜、急作此湯與之、不得從常例、故云急溫之也、急也者、恐將至大劇之言也、宜也者、權時宜之辭也、

右三章、始一章、擧少陰病陽證者、以接黃連阿膠湯及猪膚湯也、次一章、擧陽證極劇者、以總

結少陰之客病也終一章舉脈沈者以總結少陰之主病也又白虎湯結大陽篇四逆湯結少陰篇者所以明陰陽二證之大本也

少陰病總稱之虛寒證也然細別之淺深不同也麻黃附子細辛湯麻黃附子甘草湯之證者其地位淺而在表者也附子湯之證者深一等者也而俱無裏證者也桃花湯證者裏而在下焦吳茱萸湯證者裏而在中上二焦而俱無表證者也白通湯證者表裏寒凝而少陰之正證也而未至虛奪者也白通加豬膽汁湯證者見虛奪者也通脈四逆湯證者少陰之劇證至此而極其陽將奪所謂虛寒證也眞武湯證者陰寒而有水氣者也比前二證則淺一二三等者也四逆湯證者總少陰一體而包括諸證者也故少陰之證雖千殊萬異然無出於四逆湯也故細別之則有表者有裏者有表裏倶者有上焉者有下焉者有寒凝有虛寒有水氣有膿血然

而總稱之、則一歸虛寒矣、是所以少陰病以虛寒爲本也、

少陰病飲食入口則吐、心中溫溫欲吐、復不能吐、始得之手足寒、脈弦遲者、此胸中實、不可下也、當吐之、若膈上有寒飲乾嘔者、不可吐也、當溫之、宜四逆湯、此章、後證云寒飲乾嘔者、不可吐者、是也、然則前證胸中實者、亦爲寒飲審矣、而吐之何爲杜撰矣、

少陰病下利、脈微濇、嘔而汗出、必數更衣、反少者、當溫其上、灸之、此章、不擧方劑、而用灸法、非本編之例、又云更衣、非本編之字例也、

此篇正文凡十九章分爲四節首節四章其
始一章擧少陰病總目章以總管全篇諸章
以明必有此證而後爲少陰病也次二章擧
少陰病初證最在表者以明其治法與大陽
之表證大異也終一章擧前證寒變爲熱入
於心胸中者以結此一節併以爲下文陽證
之地也第二節五章始二章擧少陰表證之
正與首節相照以明表證正變之治法也次
二章擧寒毒在于下焦者終一章擧寒毒在
于中焦者此一節於少陰篇爲寒實證也不
若下節之虛寒而多變證也第三節六章始
一章擧大陽病不解熱毒攻上焦者次一章
擧類證以明咽痛特證之治法於是少陰病
三焦之治法全備以爲一小結矣次一章至
于此始擧少陰病下利純寒者次章擧前證
進劇而稍變者此二章爲少陰之本證也次
章擧水氣證以明少陰病不唯一寒其證因
又有如此者也終一章擧虛寒外熱上攻者

以明前是諸證、至虛寒極劇、則皆管繫于通脈四逆湯也、於是爲一大結矣、第四節四章、始一章、舉水氣證、以應眞武湯章、倂遂接黄連阿膠湯及猪苓湯章、以起少陰病陽證也、次一章、舉陽證極劇者、此三證、自太陽轉入者、而少陰病、一大變證也、前既結少陰病本證、此章結少陰病變證也、於是備少陰病陰陽二證之治法、猶太陽篇備陰陽之治法也、以明傷寒論、雖建六部分陰陽、然至其病有變證、則其治法變化無方也、終一章、舉脈沈者、以明少陰病、自始至此、雖證治多也、然以虛寒爲本證、以四逆湯爲本藥、以收結全篇也、而此脈沈者、呼應首節脈沈者、是篇法緊密處也、

傷寒論特解卷之九

傷寒論特解卷之十

大日本　尾張　淺野徽元甫　續註

門人　富田肥大順　校正

厥陰病篇

厥之爲言蹷也、蹷然猶卒然也、凡厥陰之爲病、陽熱之極劇、卒然變爲陰證虛寒者也、雖則爲虛寒、而以本陽熱卒然成陰證之故、其熱則攻胸中、又以其病之延久故、內旣爲虛寒之證、客氣上逆而衝心、與表熱攻心胸者相合、遂致四肢厥冷者也、凡成陰證者、非一朝一夕之故、唯於厥陰乎、陽熱之極、卒然成虛寒者也、至其原因、則亦所不論、斥其見證、姑名之曰厥陰、此作者之本志也、厥陰之爲病、消渴、表熱入於心胸中也。氣上撞心、內有虛寒之證、而客氣攻撞心也。心中疼熱、寒熱相搏也。饑而不欲食、饑也者、腹中虛寒也、不欲食者、寒熱二氣在心胸中故也。食則吐、心中寒熱二氣相搏之所爲也。○宋本成本俱作吐蚘、金匱要略無蚘字、按此證與吐蚘證大異、疑二本誤、故今從金匱刪蚘字。下之利不止。陰證虛寒、故下之利不止也、此厥陰之總目章也、故擧此數證、以徵厥陰病之地位、因使學者由其病之地位、以知其變之所來、而臨機應變、以施其治也、若致厥寒、未致厥寒、其證苟由此途而來、皆爲厥陰病也、夫厥陰病、陽熱之極劇、而其熱攻心胸者、與內有陰證、而虛寒之客氣撞心者相合也、故厥陰之證、不獨虛寒而已、又有客熱也、故厥陰之治法、主和熱也、主和心胸也、主拯其虛寒也、此其大概也、故厥陰之治法、非下之者、非吐之者、非發其汗者、於其病也、亦非發熱者、亦非

喜下利者、見其厥者、其證急劇也、非厥而熱、熱而復厥者之類、如此者、是緩病也、與厥陰急劇之證異也、

厥陰中風、脈微浮、爲欲愈、不浮、爲未愈、云厥陰中風、非本編之例也、說見上、

厥陰病、欲解時、從丑至卯上、說見上、

厥陰病、渴、欲飲水者、少少與之、愈、厥陰病渴欲飲水者、白虎湯之證也、豈冷水、所能愈乎、

諸四逆厥者、不可下之、虛家亦然、諸者凡衆也、云諸四逆厥者、總少陰厥陰而言之也、厥陰除熱厥之外、上熱下寒、少陰之純寒、皆虛奪之證、其不可下、不

待言也又豈有別所謂盧家乎

傷寒先厥後發熱而利者必自止見厥復利陰陽消長之論膚淺不足取

傷寒始發熱六日厥反九日而利凡厥利者當不能食今反能食者恐爲除中食以索餅不發熱者知胃氣尚在必愈恐暴熱來出而復去也後三日脈之其熱續在者期之旦日夜半愈所以然者本發熱六日厥反九日復發熱三日并前六日亦爲九日與厥相應故期之旦日夜半

愈後三日脈之而脈數其熱不罷者此爲熱氣有餘必發癰膿也

本編所謂厥陰病其證凡四焉其一則毒熱在於心胸虛寒在於腹中而上爲消渴下爲厥寒其證甚急劇也其二則熱結在裏表裏俱熱上爲渴下爲厥亦其證雖劇也以爲純熱故不如上證之上下異寒熱者也其三則内有久寒而卒然爲厥陰者也其四則本寒下者因誤逆而爲厥陰者也而今此章所論陰進則厥而爲陰病陽進則熱而爲陽病陰陽平均則其病即愈者也由此觀之其爲病因在於身中之陰陽往復而不在於外來之寒熱其愈亦在於陰陽往復而不在於醫療也是其建論與本編之義大異也夫本編之所論皆本於風寒是以爲陽證爲陰證皆病爲之也故證候可握方法可施而其治中肯綮則其病長愈非厥熱往復者況不

藥而愈者乎。若夫內傷諸病、寒熱往來者、卽素問所謂陽勝則熱、陰勝則寒者、而與此章之義同、而不在於外來之寒熱也。然其病諸證衆多、則未可以足厥一證為厥陰也。

傷寒脈遲六七日、而反與黃芩湯徹其熱。脈遲為寒。今與黃芩湯復除其熱、腹中應冷、當不能食。今反能食、此名除中、必死。此章舉脈不舉證、而徒論逆治者、無益於學者也、且此證、少陰而非厥陰也。

傷寒先厥後發熱、下利必自止、而反汗出咽中痛者、其喉為痺。發熱無汗、而利必自止、若不止、必便膿血。便膿血者、其喉不痺。云便膿血、其喉不痺者、陰陽上下往

復之說已、

傷寒一二日至四五日厥者必發熱、前熱者後必厥、厥深者熱亦深、厥微者熱亦微、厥應下之、而反發汗者、必口傷爛赤、

此章、熱結在裏之輕證、而白虎湯之所主也、而云厥應下之者、不知本編之治例也、且此證而汗之、則促命期、豈唯口傷爛赤乎、又厥陰之熱、身熱而非發熱也

傷寒病厥五日、熱亦五日、設六日當復厥、不厥者自愈、厥終不過五日、以熱五日、故知自愈、

說見上、

凡厥者、陰陽氣不相順接便為厥、厥者手足逆冷者是也、是註釋之文、不足取、

傷寒脈微而厥至七八日膚冷其人躁無暫安時者、此為藏厥、非蚘厥也、蚘厥者其人當吐蚘、今病者靜而復時煩者、此為藏寒、蚘上入膈、故煩、須臾復止、得食而嘔、又煩者、蚘聞食臭出、其人當自吐蚘、蚘厥者烏梅丸主之、又主久利方、

云此為藏厥者、少陰病而非厥陰也、且以藏論者、非本編之例也、又蚘厥之證、腹中虛寒、而心胸中煩、則似厥陰、然虛寒純證、則亦少陰、而非厥陰也、

傷寒熱少厥微指頭寒默默不欲食煩躁數日小便利色白者此熱除也欲得食其病為愈若厥而嘔胸脇煩滿者其後必便血傷寒熱少厥微指頭寒默默不欲食小便利色白者此熱除也欲得食其病為愈者是輕證也而中間云煩躁者從何所得來乎且若厥而嘔胸脇煩滿者何以徵其後必便血乎

病者手足厥冷言我不結胸小腹滿按之痛者此冷結在膀胱關元也是少陰而非厥陰也

傷寒發熱四日厥反三日復熱四日厥少熱多者其病當愈四日至七日熱不除者必便膿血

傷寒厥四日、熱反三日、復厥五日、其病爲進、寒多熱少、陽氣退、故爲進也、右二章、亦陰陽消長之說已、

傷寒六七日、脈微、手足厥冷、煩躁、灸厥陰、厥不還者死、是少陰而非厥陰也、且不舉方劑而用灸法、非本編之例也、

傷寒發熱、下利厥逆、躁不得臥者死、

傷寒發熱、下利至甚、厥不止者死、

傷寒六七日、不利、便發熱而利、其人汗出不止者死、有陰無陽故也、

傷寒五六日、不結胸、腹濡、脈虛、復厥者、不可下、

此爲亡血下之死

發熱而厥七日下利者爲難治

傷寒脈促手足厥逆者可灸之 右六章發熱亡血脈促可灸等皆不知厥陰之證治也且徒擧死證不擧治法不足取

傷寒脈滑 是陽熱既極而至陰分之地位之脈也 而厥者 手足厥逆也 裏有熱也 此法語也言傷寒手足厥逆則似是陰證然今其脈滑則非陰證也是陽熱既極而在陰分之地位之所爲也 白虎湯主之 大陽病白虎湯章云表有熱裏有寒此謂極熱深襲裏而至其裏陰之地位也此所以其寒熱極於心中也雖其寒熱極於心中然其寒未勝熱故未見陰證而見其熱乘寒之滑脈故以白虎湯攻之也是未見厥陰之正證也

手足厥寒

脈細欲絕者當歸四逆湯主之、至于此、陽熱之極、遂鑿然爲虛寒、手足厥寒、滑脈變細欲絕、於是、毒熱在心中爲消渴、虛寒在腹中、客氣上撞心、與毒熱攻心中者相合、爲疼、是爲厥陰之本證也、其治法、不和其熱唯溫其虛寒、和攻其心中者、以當歸四逆湯主之也、

若其人若也者、更端之辭也、以明非白虎湯之證至厥陰、而凡屬陰證者之至厥陰也、

內有久寒者宜當歸四逆加吳茱萸生薑湯是本腹中有久寒者、鑿然爲厥寒、脈細欲絕、客氣上撞心者、亦爲厥陰病也、然此證與少陰病有疑途、故云宜當歸四逆加吳茱萸生薑湯也、宜也者、權其宜姑與此湯、觀其後證之辭也、若與當歸四逆加吳茱萸生薑湯、其證益劇、厥逆無脈、乾嘔煩者、非復厥陰、是少陰也、白通加猪膽汁湯主之也、○舊本、手足上、及若上、發圈分章者非也、以若字可徵焉、故今合爲一章也、

當歸四逆湯方

當歸三兩　桂枝三兩　芍藥三兩　細辛三兩

甘草二兩　通草二兩　大棗二十五枚

右七味、以水八升、煮取三升、去滓、温服一升、日三服、右當歸四逆湯、後人之所杜撰也、手足厥寒、脈細欲絶者、豈此方之所能對乎、本編加當歸之方、四逆湯、當歸者也、

大汗出、熱不去、内拘急、四支疼、又下利、厥逆而惡寒者、四逆湯主之、

大汗、若大下利、而厥冷者、四逆湯主之、右二章、少陰而

非厥陰也、然方證相
對、有益於治法也、

病人手足厥冷、脈乍緊者、邪結在胸中、心下滿
而煩、饑不能食者、病在胸中、當須吐之、宜瓜蒂
散、病人手足厥冷、脈乍緊者、是有本證本脈、而
後變來者、故以乍字示之也、心中滿而煩、饑
不能食者、亦不可有初證、如此者、必汗下後之
變證也、此證本編以爲梔子豉湯之證、可以見
矣、而不舉冒首、不說本證、突然云云者、不足據
以爲治法也、且手足厥冷、脈乍緊者、恐少陰之
變證、而用吐
方者、危矣哉、

傷寒厥而心下悸者、宜先治水、當服茯苓甘草
湯、卻治其厥、不爾、水漬入胃、必作利也、是陰證
而有水

氣者、眞武湯或茯苓四逆湯之證也、而云宜先治水、卻治其厥者、不知本編治例之先後也、何則人以陽氣爲有生之本、故陽虛則百證湧出、不復可治也、故凡百病、苟有陰證、則先治之、而後治餘證、是仲景氏之心訣也、況厥而心下悸者、的然陰證水氣、用附劑則一舉兩得者也、而今用茯苓甘草湯、而云先治水者、吾未信之也、

傷寒六七日大下後寸脈沈而遲、手足厥逆、下部脈不至、咽喉不利、唾膿血、泄利不止者、爲難治、麻黃升麻湯主之、

云寸脈及下部脈者、非本編之義也、又云泄利者、非本編之字例也、

麻黃升麻湯方

麻黄二兩半 升麻一兩一分 當歸一兩一分 知母十八銖
黄芩十八銖 萎蕤十八銖 芍藥六銖 天門冬六銖
桂枝六銖 茯苓六銖 甘艸六銖 石膏六銖
白朮六銖 乾薑六銖

右十四味、以水一斗、先煮麻黄一兩沸、去上沫、內諸藥、煮取三升、去滓、分溫三服、相去如炊三斗米頃、令盡、汗出愈。右麻黄升麻湯方、出於後人者也、且云汗出愈者妄甚。

傷寒四五日、腹中痛、若轉氣下趣少腹者、此欲

自利也、是大陰病、而非厥陰也、且議論膚淺、不足取、

傷寒本自寒下、其人腹中本有寒冷而下利也、醫復吐下之、本有寒而下利者、當與温藥也、而醫以寒藥吐而復下之、是爲大逆也、故云復也、復也者甚之辭也、寒格更逆吐下、逆者迎也、言其人本有寒而下利、而醫復吐下、是以腹中之寒與吐下之寒藥、相扞格、不容、上爲吐、下爲下、是寒格迎吐下也、若食入口則吐、以寒格而迎爲吐下、故逆氣上衝、上則稍變熱、下則愈虛寒、是以兩氣在心胸中、故食入口則吐、而不容也、乾薑黃連黃芩人參湯主之、是因誤逆、而上熱下寒、遂爲厥陰病、然未見心中疼熱消渴厥逆等之證、其病緩也、故乾薑黃連黃芩人參湯主之也、

乾薑黃連黃芩人參湯方

乾薑三兩　黃連三兩　黃芩三兩　人參三兩

右四味、以水六升、煮取二升、去滓、分溫再服。

下利、有微熱而渴、脈弱者、令自愈。

下利、脈數、有微熱汗出、令自愈。設復緊、爲未解。

右二章、大陽病而非厥陰也、且膚淺不足取。

下利、手足厥冷、無脈者、灸之、不溫、若脈不還、反微喘者死。是少陰而非厥陰也、又膚淺不足取。

少陰負趺陽者、爲順也。五行家之說已。

下利、寸脈反浮數、尺中自濇者、必清膿血。大陽病而

非厥陰、且脈分尺寸者、非本義也、

下利清穀、不可攻表、汗出必脹滿、下利清穀而發汗、則何但脹滿乎、且少陰而非厥陰也、

下利、脈沈弦者、下重也、脈大者、爲未止、脈微弱數者、爲欲自止、雖發熱不死、是大陽病也、且以脈論證、非本編之義也、

下利、脈沈而遲、其人面少赤、身有微熱、下利清穀者、必鬱冒、汗出而解、病人必微厥、所以然者、其面戴陽、下虛故也、是少陰病、下利清穀、裏寒外熱、通脈四逆湯之所主、

而其證大劇生死分於反掌者也而今云汗出而解病人必微厥者非啻不知本編之治例二過且不為者鹵莽杜撰不足論也

下利脈數而渴者今自愈設不差必淸膿血以有熱故也是大陽病也且膚淺不足取

下利後脈絕手足厥冷晬時脈還手足溫者生脈不還者死生死之斷其易知此五尺童子亦可為也

傷寒下利日十餘行脈反實者死脈證不對所以為死也且少陰而非厥陰也

下利淸穀裏寒外熱汗出而厥者通脈四逆湯

主之、此章之義、本編已悉之也、

熱利下重者、白頭翁湯主之、是大陽病、而非厥陰也、且云熱利下重者、非本編之字例也、

白頭翁湯方

白頭翁二兩　黃連三兩　黃檗三兩　秦皮三兩

右四味、以水七升、煮取二升、去滓、溫服一升、不愈更服一升、

下利腹脹滿、身體疼痛者、先溫其裏、乃攻其表、溫裏宜四逆湯、攻表宜桂枝湯、剽竊大陽篇下利清穀章者也、

下利欲飲水者以有熱故也白頭翁湯主之是大陽病而非厥陰也

下利讝語者有燥屎也宜小承氣湯陽明病而非厥陰也

下利後更煩按之心下濡者爲虛煩也宜梔子豉湯梔子豉湯證大陽篇已悉之也

嘔家有癰膿者不可治嘔膿盡自愈有嘔則不容食而待膿盡則恐墓草將生也是轍鮒之說已

嘔而脈弱小便復利身有微熱見厥者難治四逆湯主之不擧本證而論變證非本編之例也且少陰非厥陰也

乾嘔吐涎沫頭痛者、呉茱萸湯主之、此章、不舉脈論、則不可知陰陽也、假令是陰證、則少陰而非厥陰也、

嘔而發熱者、小柴胡湯主之、剽竊小柴胡湯章者也、

傷寒大吐大下之極虛、復極汗出者、其人外氣怫鬱、復與之水、以發其汗、因得噦、所以然者、胃中寒冷故也、既極虛、復極汗出者、安有外氣怫鬱乎、又既極汗出、誰復與水發其汗者乎、妄言已、

傷寒噦而腹滿、視其前後、知何部不利、利之則愈、腹滿者、陽明而非厥陰也、若以為厥陰、則又不可利之也、是不知本編之例也、

右正文三章爲一篇始章擧厥陰病之總目也中章擧陽熱而厥者與陽熱極而爲厥陰之本證者與自久寒而至厥陰者也終章擧自誤逆至厥陰者也雖區區三章於厥陰證治無所遺漏矣學者能由此道可得無窮之規則也雖然此篇正文纔三章而僞文之多至五十餘章乃何以證其皆爲僞章也夫仲景氏設六部之例大陽篇少陰篇陰陽之大本而他四部傍支也而陽病變化多陰病變化少故大陽篇五十八章少陰篇十八章也陽明篇傍支中之特病而多變者故又十章也少陽病多關渉於大陽病大陰病厥陰病多胥繫於少陰病故少陽大陰二篇各二章而厥陰篇三章也是於篇法爲允當矣若厥陰篇特多則於篇法爲不合也由此觀之其爲僞章昭昭明矣况其與本篇抵捂者具論各章下學者察焉嗚乎去仲景氏千數百年靜齋先生出其道再明于世可謂天也是予之所以汲汲此擧也若一二同志擴而充之以

與天下後世共之、豈唯予之幸、抑生民之幸也矣、

眞武湯方　此二方脫于上、故出于此、

茯苓三兩　芍藥三兩　生薑三兩

白朮二兩　附子

右五味、以水八升、煮取三升、去滓、溫服七合、日三服、加減法、若欬者、加五味子半升乾薑細辛各一兩、若小便利者、去茯苓、若下利者、去芍藥加乾薑二兩、若嘔者、去附子加乾薑足前成半斤、加減法、出于後人者也、說見前、

烏梅丸方

烏梅三百枚　細辛六兩　乾薑十兩　黃連十六兩

當歸四兩　附子六兩　蜀椒四兩　桂枝六兩

人參六兩　黃蘗六兩

右十味異擣篩合治之以苦酒漬烏梅一宿去核蒸之五斗米下飯熟擣成泥和藥令相得内臼中與蜜杵二千下丸如梧桐子大先食飲服十丸日三服稍加至二十丸禁生冷滑物臭食等

傷寒論特解卷之十　大尾

尾陽東壁堂製本畧目録

和書之部

上段		中段		下段	
經書之部		明季遺聞	四	誹書之部	
羣書治要	卌七	牧民忠告解	一	枇杷園發句集	二
四書集註道春点	十	文いましめ	一	同後編	二
同上紙	十	傅子	一	同類題發句集	二
同片假名附	四	常語藪	二	同三日月集	一
文選李善註	十	物數稱謂	一	同麻苅集	一
毛詩國字辨	十	律數揚権	二	同寉芝集	五
孝經鄭註	一	介翁茶史	二	同五七集	五
同指解	一	六諭衍義大意抄	一	同或鳥の眼	一
服膺孝語	一			同瓢日記	一
國語定本	六	詩集之部		同菴の犬	一
莊子因	六	三野風雅	五	同法々花經	一

書名	冊	書名	冊	書名	冊
劉向説苑	五	暢園詠物詩	一	同隨筆	一
同考	一	日下新詠	一	同七部集 小本	二
同參註	六	晞髮偶詠	一	同二編	二
同上紙	十	畸人詠	一	同三編	二
同列仙傳	一	先友詩抄	一	同四編	二
韓文起	十	寒林刪餘	一	同五編	二
今世説	一	金山稿	一	也有翁鶉衣 合本	四
世説音釋	五	宋詩合辟	一	同前編	三
左傳蒙求	二	清百家絶句	三	同後編	三
星渚堂對問	一	蒙求標題詠	一	同續編	三
大學參解	一	金城白湯集	一	同拾遺	三
論語參解	五	日本詠物詩	三	誹諧無名集	一

手本物之部

長雄書札集 一
長松貴札帖 一
空洞書翰 一
大橋遺帖 一
同改年帖 一
同今川状 一
同池凍帖 一
同書用集 一
同當用集 一
同書札集 一
同新消息 一

蔑山詩哥帖 一
同乞巧帖 一
同年中帖 一
同尺一集 一
同千字文 一
同書通案文 一
同書札法帖 一
同嵯峨名所 一
同四季かな文 一
同四季文集 一
同江戸川用文 一
同筆用集 一

正面摺之部

王由敢寸珍孝經 一
漢魏隸書帖 一
九疑山碑 一
郭有道碑 一
義之周府君碑 一
李邕沙羅樹碑 一
渤海藏真帖 一
東坡自我帖 一
同大江帖 一
同帰去来詩帖 一
董其昌天馬賦 一

上段		中段		下段	
同初學手本	一	同私用集	一	同衆鳥帖	一
同かな手本	一	同清風帖	一	同秣陵帖	一
同庭訓往来	二	二節詩哥撒英	一	道風草書帖	一
同風月往来	一	定家朗詠	二	信海三十六歌仙	一
同明衡往来	一	行成朗詠	二	陋室銘	一
同商賣往来	一	琴曲桃の宴	一		
同江戸往来	一	箏曲大意抄	六	草木性譜	二
同江戸名所	一	同二ッ輪入	六	草木有毒圖説	二
御家書札文海	一			立花當用集	一
同當時用文章	一	煎茶早指南	一	諸禮大學	一
同永代用文章	一	永樂大雜書	一	同上紙	一
同早速千字文	一	神術極秘巻	一	十躰千字文	一

石刻法帖之部

夫子廟堂碑 一
朱子風雪帖 一
宋七君子法帖 一
歐陽詢九成宮 一
子昂要寉帖 一
同羊公帖 一
徂来大晉帖 一
廣澤樂得帖 一
米元章天馬賦 一

画譜繪手本之部

北齋漫画 十三
北齋画譜 三
同上紙 一
一筆画譜 一
両筆画譜 一
同上紙 一
英勇画譜 一
神事行燈 一
同二編 一
同三編 一
同四編

金氏画譜 一
浮世画譜 一
同二編 一
初學画手本 一
福善齋画譜 五
武勇魁圖會 一
同二編 一

算法之部

早引相場帳 一
開式新法 二
玉積通考 三
點竄指南録 三

繪本之部

書名	冊
繪本噺山科	二
同庭訓往来	三
同女今川	一
同彩色入	一
同大江山	一
同彩色入	二
同曽我物語	一
同彩色入	二
同咲分勇者	一
同彩色入	二
同五編	一
珧林漫画	一
蕙齋麁画	一
同二編	一
同三編	一
同四編	一
同五編	一
北溪漫画	一
北雲漫画	一
同上紙	一
文鳳麁画	一
同上紙	一
同二編	五
同三編	三
同四編	三
同五編	三
周髀筭經圖解	五
同國字解	二
筭法工夫之錦	三
同發隠録	一
開運ちゑのわ記	一
萬宝大通考	一
八木龍の巻	一

字引節用之部

滿字節用錦字選　一
同中紙　一
同上紙　一
早字節用集　一
同上紙　一
同大全　一
同上紙　一
同眞字附　一
同上紙　一
四聲節用集　一
同上紙　一

將棊之部

將棊道標　一
同階梯　二
同金襖　一
同鷲抓　一
同定跡　二
同連珠　二
同名家友　一
同古今集　一
同相掛集　二
同指南車　一
同百番簇　一

百人首之部

棲鳳百人　一
同上紙　一
蓬萊百人　一
同上紙　一
吾妻百人　一
同上紙　一
錦葉百人　一
同上紙　一
麗玉百人　一
同上紙　一
今様百人　一

上段	中段	下段
手紙早引集　一	同自在　二	同上紙　一
永樂古狀揃　一	渡世肝要記　二	文今川貞操鑑　一
同上紙　一	同二編　二	同上紙　一
同假名附　一	碁経之部	
同上紙　一	碁經奕範　二	東穂録　二
初學古狀揃　一	同奕筌　二	同二編　二
同上紙　一	碁立手談　一	彼此合府　二
同假名附　一		延壽養生談　一
同上紙　一	大日本國郡全圖　二	養生要論

尾州名古屋本町通七丁目　永樂屋東四郎
江戸日本橋通本銀町二丁目　同　出店
濃州大垣本町　同　出店